REIKI, MANOS QUE CURAN

LA SANACIÓN ESTÁ EN TUS MANOS

REIKI, MANOS QUE CURAN

La sanación está en tus manos

Profesor Mércury

C/ Primavera, 35
Polígono Industrial El Malvar
28500 Arganda del Rey
MADRID-ESPAÑA
www.edimat.es

ISBN: 978-84-9764-972-8
Depósito legal: M-23459-2011

Colección: Biblioteca breve
Título: Reiki, manos que curan
Autor: Profesor Mércury
Diseño de cubierta: Juan Manuel Domínguez
Impreso en: Artes Gráficas Cofás

IMPRESO EN ESPAÑA - *PRINTED IN SPAIN*

Introducción

El profesor Mércury es autor del libro *Acércate a la Astrología,* de esta misma editorial, que tanto éxito está teniendo entre la juventud y personas adultas. Lleva más de treinta años en las ciencias ocultas. Doce con el reiki. Navarro, de Olite, aunque su mente, cuerpo y espíritu son internacionales. Tiene la carrera superior de guitarra, es compositor, Reiki Master, Master en Reiki Karuna, en Sekhem-Seihim-Reiki y en Sexología. Vidente, y en sus ratos libres hace poesía, pinta y realiza el horóscopo en varias revistas. Así mismo es invitado de honor en las televisiones más destacadas de España.

Él considera que el ser humano tiene capacidad para sanarse con sus propias manos, siempre claro está que estudie las técnicas que se explican en este libro con un maestro de la sanación del reiki. Imparte cursos de reiki por toda la geografía española. Ha experimentado que, si uno quiere curarse, está mucho más expuesto a conseguirlo que quien crea que nada puede ayudarle. Es un hombre inquieto culturalmente, que siempre está estudiando para bien suyo y el de la humanidad. Conoce a muchísimos artistas en todas las ramas de la vida, y en ocasiones presume de los muchos amigos que tiene por el ancho caminar de su vida, que es muy amplia. Considera que el amor es el motor de arranque para estar cada vez más sano, y por ello piensa y siente que hay que hacer mucho el amor, tomando las debidas precauciones.

Prólogo

El antiguo axioma hipocrático que dice «Que tu alimento sea tu medicina y tu medicina tu alimento», así como la famosa frase «Primum NON NOCERE», sigue vigente en la actualidad y es precisamente en estas bases donde se asienta la terapéutica natural, a saber:

— Primero, no hacer daño al paciente.
— Segundo, utilizar la alimentación como medicina, variándola hacia un modelo individual y bien estudiado en cada caso concreto.
— Un tercer pilar fundamental en la práctica de sanar es basar en un profundo respeto por el ser humano.
— En el mundo actual, donde la avaricia, la envidia, la polución y el abuso de la química que genera enfermedades, es precisamente el marco donde mejor encaja la filosofía de la terapéutica.
— La terapéutica natural y los tratamientos no agresivos no pretenden tratar el síntoma aisladamente, tiene especial interés por las causas disarmónicas que provocan el desequilibrio orgánico.
— Éste es el fundamento de los tratamientos naturales no agresivos.

— Por este motivo considero que el libro sobre el reiki del profesor Mércury le ayudará a vivir la vida con más serenidad y, si sigue sus pautas, a estar cada vez más sano y armonioso.

Javier de Francisco
Doctor In Naturopathy
por la Universidad de Colombia (USA)
N.º colegiado: 1.386 (ACTSN)

Agradecimientos

A todos los médicos del mundo, enfermeros, naturópatas, sanadores, curanderos y maestros de reiki, en especial a mis maestros Rita Freyeisen, Aliz Pratibha-E. Ruchatz, Eli Premyog, Heiko Habben y Encarnación Mansó Nogales, Antonio Moraga, Eladio Díez Villaverde, a María José Márquez del Centro de Salud, por su información generosa; así como a todos los seres humanos que piensan y hacen algo en bien de la humanidad, a mis discípulos de reiki, a los pacientes, a los medios de comunicación, la prensa, la radio y la televisión, por la oportunidad de poder transmitir por medio de sus dispositivos comunicativos los avances que se van haciendo en los sistemas de sanación del reiki. A mi hermano Ángel, por sus correcciones; a Dios, por haberme dado una familia tan maravillosa, amigos sensacionales y amores que han compartido mi vida y he aprendido de ellos a ser cada día más feliz, comunicativo y sobre todo humano. A mis maestros de música, a todos los que me han enseñado el arte de amar, que a fin de cuentas es lo más grande que posee el ser humano. No nos vamos a llevar al otro mundo otra cosa que las obras amorosas que hayamos realizado en este mundo. Por último, a usted, lector, por acercarse a este libro que he escrito con el cuarto chakra, el del corazón, de corazón a corazón para usted.

¿Qué es realmente el reiki? Su historia

Denominamos **reiki** a una palabra proveniente de Japón; su significado exacto es la «energía universal». El reiki, como todo en la vida, tiene una técnica que es conveniente aprender; no obstante, yo diría que el reiki hay que sentirlo con nuestras propias manos, bien haciéndonos una sanación a nosotros mismos o dando la sanación a otros.

Ocurrirá que en ocasiones, cuando el cuerpo está sensibilizado a sentir el reiki, existirán más probabilidades de que la sanación tenga más efecto.

Rei: Su significado es la «energía universal de la vida».

Ki: Es la parte de Rei que fluye por medio de todo cuanto tiene vida; por tanto es así mismo la energía de nuestra vitalidad propiamente dicha.

Reiki: Consigue el equilibrio del cuerpo, mente y espíritu; por esta razón actúa, desintoxicando las toxinas, equilibrando todos nuestros centros energéticos llamados «chakras». El reiki es un regalo de la naturaleza del Dios creador, que haremos muy bien en aprovecharnos de él por lo cercana y sencilla que resulta su aplicación.

Hoy en día los medios de difusión con que cuenta el ser humano, la prensa, la radio, la televisión, Internet y otros, hacen más fácil su práctica. Imaginemos si tuviésemos que ir hasta el Japón para poder recibir las iniciaciones; pues bien, por suerte para la humanidad se está cultivando en todo el mundo. Si hubiéramos de destacar algún país en especial, quizá Alemania sea uno de los más adelantados, aunque existen libros de maestros nacidos en Italia, Norteamérica, Sudamérica y otros; en España, creo que el mío es el del primer español que se publica sobre este tema, lo cual me hace feliz. Siento tal respeto por quienes se dedican a mejorar la salud de las personas que me siento enormemente agradecido a la vida por haberme acercado hasta el reiki.

Tabla para la sanación, con las posiciones reiki por orden alfabético

Quiero recordarle, querido lector, que el reiki es un alivio para todas la enfermedades, que con la simplicidad del mismo podremos conseguir magníficos resultados con la simple y sencilla imposición de las manos, claro está si estamos iniciados (ya sabe también que la iniciación se la tiene que dar un maestro del reiki); en estados graves y sospechosos, es conveniente que visite a su médico, igualmente le recuerdo que el reiki no sustituye a ningún profesional de la medicina; por tanto, si está en tratamiento con un doctor, es importante que, aunque reciba sesiones de reiki, acuda con regularidad a la consulta del médico.

Eso sí, como la vida es una paradoja y como la vida es un misterio, en algunos casos, donde la medicina nada puede hacer por el enfermo, surge la magia de la imposición de manos y en más de una ocasión el enfermo recibe la medicina milagrosa que necesita y se sana, se cura y su vida mejora en todos los sentidos. Insisto en que a la medicina tradicional hay que respetarla y aprender de las personas que han hecho una carrera profesional para ayudar a los seres humanos. Pero, como antes he dicho, la vida tiene sus paradojas; lo mismo que mis amigos Agustín Castellón «Sabicas», ya muerto, y Paco de Lucía nunca pasaron por un Conservatorio de Música y sin embargo le hacen hablar a la guitarra, lo mismo puede suceder con un terapeuta reiki, que, sin haber hecho estudios de medicina, sabe y consigue efectos sorprendentes en la salud de él mismo y de otras personas. Tenga confianza en el reiki, merece la pena.

Quienes solicitan consulta siempre preguntan lo mismo: ¿Esta enfermedad X tiene curación? Siempre respondo lo mismo: Para hacer prescripciones hay que ser médico. Por ello, me limito a decirles que ellos son quienes se han de curar con su deseo y actitud y que si realmente quieren sanarse tienen más posibilidades que si no lo quieren. Ahora recuerdo una frase muy famosa que dice lo siguiente: «Cuidado con lo que quieres, que puedes conseguirlo». Así que quiera y desee su sanación, y las de las personas que quiere o ama, y verá cómo existe la magia de la sanación y autosanación.

Accidente

Lo más aconsejable es que se llame urgentemente a un médico; si acaso tiene o se le ha producido un shock, podremos realizar las posiciones números 10 y 16. Si hay alguna hemorragia, se han de colocar las manos cerca de las hemorragias, pero sin llegar a ellas.

Acidez

Realizar las posiciones de los números 8 y 10. También se puede ejecutar la posición del sexto chakra, igualmente la posición número 12. Si se hace usted el tratamiento, póngase las manos en el estómago quince minutos antes y después de las comidas, le ayudará a realizar mejor la digestión.

Acné

Es imprescindible dar tratamientos íntegros durante un período largo de tiempo diariamente. En días alternos y con posterioridad se harán las posiciones de los números 5, 6, 8, 10 y 13.

Adicciones

Realizar tratamientos integrales; con ello conseguiremos la desintoxicación psíquica y sobre todo física; esto es, para los adictos al tabaco, alcohol y otros.

Podremos también realizar las siguientes posiciones: 1, 6, 8, 10, 14, 15 y 16.

Ahogos (disnea)

Realizar las posiciones 4, 10 y 21. Igualmente es bueno tratar la región escapular, así como los hombros.

Alergias

Realizar los tratamientos integrales; seguidamente, se han de dar aplicaciones locales con las posiciones 1, 8, 10 y 11. Es bueno recordar que la alergia es el rechazo a algo que no nos gusta, y que son personas muy sensibles quienes la padecen.

Amigdalitis ***(localiza también el apartado de infecciones)***

Realizar las posiciones 1, 3, 6, 7 y 16.

Amputaciones

Hacer los tratamientos en el muñón y la prótesis, como si realmente fuesen el miembro que está amputado; igualmente, hacer las posiciones 1, 10 y 17.

Anemia

Después de dar tratamientos integrales diariamente, con posterioridad conviene realizar las siguientes posiciones: 4, 8 y 9; así mismo, aplicar la energía del reiki en la parte superior del cráneo.

Anestesia

Es recomendable no dar el reiki mientras la persona se encuentre anestesiada, pues es muy posible que se despertara antes de tiempo. Podemos hacerle tratamientos integrales antes y después de la anestesia, posteriormente llevar a cabo las siguientes posiciones: 1, 8, 10, 17 y 21.

Angina de pecho

Dar el reiki encima del diafragma así como por la parte superior de la espalda. Y además realizar las posiciones 2, 3, 6 y 10.

Angustia

Realizar las posiciones 10, 16, 17 y 21. Si el caso está muy pronunciado, se han de poner las manos en la coronilla; así mismo, para conseguir valentía y quitar el miedo a la proximidad de otros seres humanos, ayudará mucho hacerle el reiki en los codos, por las dos partes de los mismos.

Animales

Para los del campo o los de casa, se colocarán las manos encima de la zona afectada del animal en cuestión, dejándole libertad de movimiento; el mismo animal nos orientará donde necesita exactamente que lo tratemos.

Anorexia

Se dará un tratamiento integral, pasando más tiempo posteriormente en las posiciones 2, 4, 7 y 8.

Ansiedad

Tratamiento integral, a ser posible cinco minutos en cada posición. Si la ansiedad está muy avanzada, son necesarios tratamientos muy prolongados en las siguientes posiciones: 1, 2, 4, 6, 7 y 8.

Antibióticos

Para los efectos secundarios, darle tratamientos completos, en días consecutivos; así mismo hacerle con posterioridad las posiciones siguientes: 6, 7, 8, 11 y 21.

Apendicitis

(Ver la información de infecciones.) Importante ponerse urgentemente en contacto con el médico. Hasta que llegue, se le ha de tratar la parte del apéndice; si los dolores son muy exagerados, se le han de hacer las posiciones números 16 y 21.

Apoplejía

En primer lugar hay que avisar al médico. Se ha de aplicar el reiki en la parte opuesta al hemisferio cerebral; es decir, si el lugar afectado es el hemisferio derecho, se ha de tratar el lado izquierdo.

Aprender-Memorizar

Se han de realizar varias veces diarias las posiciones de las manos en las posiciones 2 y 4; si queremos recordar con facilidad algo, utilizaremos cada posición durante cinco minutos aproximadamente.

Articulaciones

Se han de colocar las dos manos encima de las articulaciones afectadas cubriendo los dos lados. El reiki nos ayudará a bajar el hinchazón aliviando el dolor. Si queremos conseguir mejores resultados, será conveniente dar el reiki dos veces por día, de 45 a 60 minutos diarios.

Artritis

Es conveniente dar tratamientos integrales y seguidos de aplicaciones locales; asimismo se han de colocar las posiciones números 16 y 21.

Artrosis

Necesariamente se ha de dar el reiki en la parte dolorida. Igualmente, se han de dar las posiciones números 16, 17 y 21.

Asma

Llevar a cabo las posiciones números 1, 4, 7 y 11. Recuerda que los asmáticos han de colocarse en la camilla con la mitad del cuerpo levantado, nunca tumbados del todo, para que no sientan la sensación de ahogo.

Autoestima

Se ha de dar un tratamiento integral cada día, estando un tiempo adicional en las siguientes posiciones: 1, 4, 14, 15, 16 y 17.

Ayuno

Realizar las posiciones números 5, 10, 11, 17 y 21.

Bazo (molestias del)

Realizar la posición número 10 y un tiempo adicional en el segundo chakra.

Bilis (molestias de la)

Llevar a cabo las posiciones números 1, 8, 15, 19 y 21.

Boca

Se ha de tratar la parte local. Practicar la posición 1. Así mismo dar reiki en los pulgares de manos y pies.

Bocio

Dar el reiki 45 centímetros más arriba de los tobillos. También hacer las posiciones números 6, 7, 11 y 17.

Bronquios

Realizar las posiciones números 1, 9 y 11. Asimismo dar la energía vital poniendo las manos debajo del pecho, encima de las costillas.

Bulimia

Dar tratamientos integrales, invirtiendo un tiempo adicional en las posiciones números 2, 4, 7, 9, 10 y 16.

Cabeza (dolores de)

Realizar las posiciones números 1, 4, 14, 15 y 21.

Calambres

Como esto puede ocurrir en cualquier parte del cuerpo, se ha de dar reiki en la parte localizada del calambre. Si el dolor fuese en la espalda, hacer las posiciones siguientes: 8, 9, 11, 16 y 17.

Cáncer

Tratamientos integrales diarios durante varias semanas. Asimismo se han de tratar las partes afectadas. Dar reiki intensamente sobre las posiciones números 8 y 10. Igualmente, estar durante diecisiete o veintidós minutos en la posición número 7. Hemos de hacer un tratamiento en el cuarto chakra y equilibrar a partir de él el resto. Si el cáncer está en la mama, o en el sistema urogenital, se han de realizar intensamente las posiciones números 11, 17 y 20. También se ha de tratar encima del segundo chakra. Si el cáncer estuviese localizado en la lengua, llevar a cabo tratamientos integrales y dar reiki en las plantas de los pies.

Cansancio

Primero equilibraremos los chakras y después realizaremos las posiciones números 1, 2, 10, 14 y 17.

Caries

Llevar a cabo las posiciones números 1, 8, 11, 17 y 21.

Catarro

Tratamientos integrales, dando un tiempo adicional en las posiciones números 1, 2, 3, 4, 7, 9 y 19.

Ciática

Tratamiento completo con tiempo adicional en la posición número 17 y poner las manos en la parte trasera de las nalgas; asimismo, conectar nalga y talón con ambas manos.

Cicatrices

Se han de dar tratamientos locales, así como realizar las posiciones números 6 y 10.

Circulación sanguínea

Llevar a cabo las posiciones números 1, 6, 8 y 10. Se ha de aplicar reiki integral estando un tiempo adicional en los hombros por encima del pecho, por debajo de las axilas, así como sobre la parte interior de los muslos. Igualmente, hemos de poner las manos en ambos lados coincidiendo con la línea central de la cabeza.

Cirrosis

Al ser una enfermedad localizada en las vísceras y de manera especial en el hígado, hay que dar tratamientos integrales y dando tiempo adicional en las posiciones números 9 y 10; la duración será de unos treinta minutos.

Cirugía

Conviene darle un tratamiento integral a la persona en cuestión antes y después de que se le intervenga quirúrgicamente, al menos cinco días antes y cinco después. *Observación:* no darle reiki durante el tiempo que dure la anestesia.

Cólicos

Se han de dar tratamientos integrales con un tiempo adicional en las zonas enfermas mientras exista dolor. Si los cólicos son en niños pequeños, es conveniente colocarlos boca abajo, con las manos puestas una en la barriguita y la otra en la espalda.

Columna

Se dará un tratamiento integral, con un tiempo adicional en las posiciones números 11 y 16.

Contracciones espasmódicas

Tratamientos locales y además realizar las posiciones números 1, 8, 15, 19 y 21.

Tratar también el tercer ojo. Es recomendable si existe tendencia a tener contracciones; visite a su médico.

Corazón (ataque al)

Se ha de dar el reiki en las partes superiores e inferiores del vientre. *¡Ojo!* no hacerlo nunca directamente sobre el corazón, con las siguientes posiciones: 8, 10, 14 y 17. *Recuerda que es muy importante que avises inmediatamente al médico.*

Corazón (dilatación del)

Se ha de dar el reiki por encima de los pezones y además practicar las posiciones números 2 y 3.

Corazón (molestias cardíacas en general)

Se tratarán los chakras números dos y cuatro. Siempre que ocurra un dolor cardíaco hemos de avisar al médico inmediatamente; también nos puede servir un médico naturópata.

Corazón (presión del)

Se dará el reiki en ambos costados, aproximadamente a unos doce centímetros por debajo de las axilas. Llevar a cabo también las posiciones números 2, 3, 7, 14 y 16.

Creatividad

Si recibe reiki asiduamente, o se lo da usted mismo, observará que con el tiempo está más equilibrado y mucho más creativo. Por ello es recomendable estar en contacto con esta energía universal.

Cuidarse preventivamente

Algunas personas piensan: como no estoy enfermo no necesito el reiki. Pues de manera preventiva se pueden recibir sesiones de reiki y podemos prevenir algunas enfermedades. Lo mismo que, por ejemplo, cuando uno se pone una vacuna para prevenir una gripe, contagios, etcétera.

Debilitamiento

Tratamientos completos, seguidos de las posiciones números 21, 17, 16 y 10 (si realizamos las posiciones en este orden, será muy eficaz).

Dentadura

Se ha de dar el reiki en las zonas que estén afectadas (es decir, en el maxilar inferior o superior, según el caso), se mantendrán las manos un buen rato, hasta que desaparezca el dolor. Es bueno que recordemos que, aunque desaparezca el dolor, conviene visitar al médico especialista del caso.

Depresión

Tratamientos completos, estando un tiempo adicional en las posiciones números 1, 4, 9, 10, 16 y 17.

Dermatitis

Tratamientos completos con tiempo adicional de aproximadamente diez minutos, en las siguientes posiciones: 9, 10 y 16.

Desamparo

Se ha de dar un tratamiento completo (ya que el reiki ayuda de forma muy efectiva tratando este estado anímico, dando armonía, amparo y potencia) y realizar las siguientes posiciones: 2, 3 y 4.

Descanso

Julio Iglesias decía que para trabajar hay que descansar; el descanso es muy necesario para reponer fuerzas y poder conseguir un equilibrio psíquico y emocional. Se ha de dar un reiki completo y adicionalmente las posiciones siguientes: 1, 2, 3 y 4.

Desintoxicación

Tratamientos completos con regularidad en días consecutivos. Es bueno esperar a que se vean reacciones positivas. Necesariamente el paciente ha de beber mucha agua, a ser posible agua mineral, hacer mucho reposo, ducharse o bañarse. Además llevar a cabo las posiciones números 1, 6, 11, 13, 19 y 21.

Desmayo

Se ha de dar el reiki encima de la parte superior de los dedos pulgares de los pies; seguidamente llevar a cabo las posiciones números 6, 10, 17 y 21.

Diabetes

Dar un reiki completo, a ser posible dos veces por día, y tratar adicionalmente las siguientes posiciones: 2, 4, 9, 10, 16 y 21. Igualmente, se ha de dar reiki en los codos de los brazos.

Diarrea

Tratamiento completo con tiempo adicional para las siguientes posiciones: 1, 7, 9 y 21.

Digestión (trastornos de la)

Tratamiento completo con tiempo adicional en las siguientes posiciones: 4, 8, 10, 11, 14, 15, 17 y 20. (Hemos de tener en cuenta lo importante que es también, al comer, tener pensamientos positivos y masticar despacio.)

Dislexia

Tratamientos completos con tiempo adicional en las siguientes posiciones: 1, 2, 3 y 4.

Dolores

Aunque el reiki es una técnica muy beneficiosa para aliviar los dolores, se ha de tener paciencia si al principio no conseguimos el resultado buscado. Recomiendo tratamientos completos con tiempo adicional en las partes doloridas de quince a treinta minutos.

Drogas (adicción)

Se dará un tratamiento completo con tiempo adicional en las siguientes posiciones: 2, 3, 4, 6, 7, 9, 10, 11, 16 y 17. El tratamiento puede durar de semanas a meses haciéndolo diariamente.

Eccemas

Se han de tratar las partes afectadas haciendo el reiki directamente sobre esas zonas. Posteriormente se dará un tratamiento completo con un tiempo adicional en las siguientes posiciones: 3, 4, 8, 9, 10 y 16.

Edema pulmonar

Se dará un tratamiento completo con tiempo adicional en las posiciones siguientes: 8, 9, 10, 11, 15, 16 y 21.

Embarazo

Durante el proceso del embarazo, el reiki ayudará mucho a la futura mamá. A la madre le aportará mucho beneficio y al niño también. Se ha de dar un tratamiento completo, únicamente hasta el quinto o sexto mes de gestación; posteriormente se harán las posiciones siguientes: 1, 2, 3, 4, 11 y 16.

Epilepsia

Llevar a cabo las posiciones 6, 10, 11 y 14. Hacer igualmente el reiki en las muñecas y en la parte de la columna vertebral situada en los omóplatos.

Equilibrio (perturbaciones del)

Llevar a cabo las posiciones 3 y 8. Asimismo se ha de dar reiki sobre el cráneo del paciente.

Erupciones cutáneas

Se dará un tratamiento completo, llevando posteriormente a cabo las posiciones números 6, 8, 11, 15 y 16; también conviene hacer un tratamiento sobre el sexto chakra, llamado tercer ojo.

Esclerosis múltiple

Para el paciente con esta enfermedad le recomiendo que se inicie en reiki, al menos en el primer nivel; tengo una discípula que lo ha hecho y cada día mejora más. Se realizarán las posiciones números 1, 4 y 10. Además conviene trabajar sobre el sexto chakra, llamado también tercer ojo. Asimismo dar reiki sobre los omóplatos. Dar un tratamiento completo y sobre todo en las partes enfermas. Si hay posibilidad de darlo entre dos personas, uno que ponga las manos sobre las plantas de los pies y el otro sobre la cabeza.

Espalda (dolores de)

Se ha de dar un tratamiento completo con un tiempo adicional en las siguientes posiciones: 1, 14, 15 19 y 21.

Espasmos

Dar un tratamiento completo de reiki y posteriormente poner las manos sobre las zonas enfermas.

Estómago (dolores del)

Dar un tratamiento completo, posteriormente llevar a cabo las siguientes posiciones: 8 y 10. Si hay algún caso que sea crónico se ha de tratar también el sexto chakra y además la posición número 20.

Estrés

El reiki es un método muy eficaz para este tipo de enfermedad. Se hará un tratamiento completo al menos cinco días consecutivos, posteriormente se realiza una vez a la semana el reiki durante dos o tres meses.

Fiebre

Si existe mucha fiebre, se dará un tratamiento completo con tiempo adicional en las siguientes posiciones: 1, 3, 6, 7 y 9. En ocasiones al hacer el reiki la fiebre sube, pero enseguida bajará. Si existe mucha fiebre, se realizarán las siguientes posiciones adicionales: 17 y 21.

Flebitis

Se ha de dar un tratamiento completo con tiempo adicional (entre diez y quince minutos) en las siguientes posiciones: 3, 6, 9, 10, 11, 16 y 17.

Fracturas

Se dará el reiki cerca de la fractura del hueso un tiempo prudencial; esto beneficiará al paciente calmándole el dolor y bajando el hinchazón. Dar un reiki en las posiciones siguientes: 1, 8, 17 y 19.

Frigidez

Llevar a cabo las siguientes posiciones: 1, 10 y 17. Seguidamente trabajar sobre los chakras segundo y quinto. Hemos de tener en cuenta que los desarreglos sexuales pueden ser causa de los dos miembros de una pareja; por ello es conveniente hacer el reiki a los dos, haciéndoles tratamientos completos con regularidad; asimismo se han de hacer sesiones encima de sus chakras.

Garganta (dolores de)

Dar tratamientos completos y además dar el reiki encima de los dos pulgares de los pies. Realizar las siguientes posiciones: 2, 3 y 6.

Gastritis

Dar un tratamiento completo con tiempo adicional en las siguientes posiciones: 6, 9, 10, 11 y 16.

Glaucoma

Dar el reiki en ambos ojos y además llevar a cabo las siguientes posiciones: 1 y 6; asimismo se ha de dar reiki en los chakras segundo y sexto. Para finalizar, se han de tratar los dos pulgares de los pies.

Gota

Se dará un tratamiento completo, a ser posible dos veces al día, mientras exista el problema. Posteriormente dar un tiempo adicional en las siguientes posiciones: 1, 3, 4, 8, 9, 10 y 16.

Hematomas

Se ha de dar el reiki directamente en las zonas afectadas con un tiempo de veinte a treinta minutos, a ser posible varias veces al día.

Hemorragias

El reiki se dará como un complemento al tratamiento que haya dado el médico. Se dará el reiki en la herida afectada. Si hay pérdida de sangre, dar las siguientes posiciones: 1, 6, 9, 16 y 21.

Hemorragia nasal

Se colocará a la persona en un ángulo de aproximadamente 45 grados. Se dará un tratamiento local y se realizan las siguientes posiciones: 4, 6, 10, 14 y 15. También se puede colocar una bolsa de hielo en la cabeza, al tiempo que se tapa con el dedo pulgar y el dedo índice encima del tabique nasal, con la otra mano sobre la base del cráneo.

Hemorroides

Se dará un tratamiento local con las siguientes posiciones: 8, 10, 14, 15, 17, 20 y 21.

Hepatitis

Se dará un reiki completo, con tiempo adicional en las siguientes posiciones: 3, 4, 8, 9 y 16. Además se han de tratar los chakras primero y tercero.

Heridas cortantes

Se dará el reiki directamente en la zona afectada y es muy posible que la sangre se pare y se cierre la herida. En ocasiones es necesario permanecer con las manos de treinta a cincuenta minutos.

Hígado (molestias del)

Se dará un tratamiento completo con un tiempo adicional en las siguientes posiciones: 1, 3, 4, 8, 9, 10, 14 y 16.

Hipo

Es necesario que el paciente ponga las manos alzadas y el reikista le coloca sus manos, una encima de la otra, esto es sobre el chakra del plexo solar. Si el hipo sigue persistiendo, se llevarán a cabo las siguientes posiciones: 3 y 4.

Histeria

Se dará el reiki encima de las muñecas, posteriormente se masajean ambas manos alrededor de cinco a diez minutos. Asimismo dar el reiki en el cráneo en posición transversal. Llevar a cabo las siguientes posiciones: 10, 15 y 21.

Impotencia

Tratamiento completo realizando un tiempo adicional en las siguientes posiciones: 1, 10, 11, 15 y 19. Es conveniente hacer el reiki a los dos miembros de la pareja. Si el problema encierra gravedad, se aplicará el reiki en el segundo y quinto chakras.

Si se trata de un autotratamiento, los varones pueden ponerse una posición encima de los genitales.

Infecciones

Dar el reiki encima del lugar de la infección; asimismo se darán las siguientes posiciones: 7, 9, 11, 17 y 21. Si son infecciones crónicas o graves, se harán las posiciones números 8 y 16, tratando además los ganglios linfáticos que se encuentren cerca.

También se puede tratar el tercer ojo, equilibrando el conjunto de los chakras, de manera primordial en los chakras primero y sexto. Podemos poner adicionalmente el cristal de roca y la amatista.

Insomnio

Llevar a cabo las siguientes posiciones: 1, 2, 10 y 11; igualmente se dará el reiki sobre las clavículas. Si el insomnio es crónico, tratar también el chakra tercero.

Laringitis (molestias en la)

Llevar a cabo la posición número 6 con un tiempo de alrededor de veinticinco a treinta minutos; asimismo se dará el reiki en los dedos pulgares de los pies, sobre la cara exterior; si el caso se considera crónico, tratar el quinto chakra.

Leucemia

Se ha de dar un tratamiento completo y, asimismo, se llevan a cabo las siguientes posiciones: 8, 10, 11, 16, 19 y 21.

Mareos

Se colocan las manos encima del cráneo en sentido transversal y además se llevan a cabo las siguientes posiciones: 3, 8, 19 y 21.

Memoria

Hacer un tratamiento completo con tiempo adicional en el cráneo en sentido transversal. También se le puede ayudar al paciente diciendo que apunte en un cuaderno de notas las cosas que tiene que hacer.

Meningitis

Se dará un tratamiento completo con tiempo adicional en las siguientes posiciones: 1, 2, 3, 4, 14, 15 y 16.

Menopausia

Se dará un tratamiento completo con tiempo adicional en las siguientes posiciones: 1, 2, 3, 4, 8, 9, 11, 16 y 17.

Miedo

Se dará un tratamiento completo con un tiempo adicional en las siguientes posiciones: 1, 2, 3, 4, 6, 9, 10, 11, 16 y 17. En ocasiones el miedo proviene de la niñez, por ello será bueno buscar sus causas.

Nariz

En primer lugar se hace un tratamiento local y además se darán las siguientes posiciones: 1, 7 y 8. Es importante también tratar el sexto chakra. Si fuese sinusitis, trabajar el segundo chakra acompañado de las siguientes posiciones: 11, 15, 17 y 20.

Náuseas

Dar un tratamiento completo con tiempo adicional en las siguientes posiciones: 8 y 10. Si la persona tiene propensión al mareo en los viajes, darle las posiciones números 3, 7 y 8. Asimismo colocarles las manos sobre la coronilla.

Nervios (ataque de)

Se harán las siguientes posiciones: 1, 4, 9, 11, 14, 15, 17 y 21. Además se pondrán las dos manos en sentido transversal encima del cráneo. Sabido es que el reiki relaja mucho, así que será muy beneficioso.

Neuralgias

Se hará un tratamiento local sobre las zonas reflejas y además se llevarán a cabo las siguientes posiciones: 1, 4 y 21.

Ninfomanía

Hacer un tratamiento sobre los chakras segundo y quinto y llevar a cabo las siguientes posiciones: 1, 6, 11, 19 y 20.

Nuca (dolores de la)

Se dará el reiki en la parte del dolor, así como en las articulaciones sobre los dos pies, encima de los pulgares. También se harán las siguientes posiciones: 9, 10 y 11.

Oídos

Dar un tratamiento completo y además llevar a cabo las siguientes posiciones: 1, 4, 6 y 21. Dar el reiki en las partes planas de los pies, desde la parte central llegando al extremo de los dedos pulgares.

Ojos

Llevar a cabo un tratamiento completo junto con las siguientes posiciones: 1, 2, 6, 11 y 20. También se dará el reiki encima de los dedos pulgares de las manos y de los pies.

Ovarios

Tratamiento completo con tiempo adicional en las siguientes posiciones: 1, 3, 4, 8 y 11.

Paperas

Dar un tratamiento completo una vez por día en el tiempo que duren las molestias y además realizar adicionalmente las siguientes posiciones: 1, 2, 3, 4 y 6.

Parto

Llevar a cabo un tratamiento completo antes del parto y adicionalmente las siguientes posiciones: 10, 11, 16 y 19. Por propia experiencia diré que el reiki le sirve a la futura mamá para dilatar, disminuye los dolores y, sobre todo, le viene bien al niño para ponerse en una posición buena.

Pelo (caída del)

Se hará el reiki localmente con las posiciones siguientes: 11, 16 y 20.

Piernas

Se hará un reiki completo y además se tratará el tercer ojo. Seguidamente llevar a cabo las siguientes posiciones: 1, 17, 19, 20 y 21.

Pies (problemas de)

Se hará el reiki directamente en los pies, colocando juntas ambas manos, en los lugares que se tenga molestias. De veinte a treinta minutos, esto se llevará a cabo en varias ocasiones al día.

Próstata

Dar un tratamiento de reiki completo con tiempo adicional en las siguientes posiciones: 1, 4, 11, 15, 19 y 20.

Pulmonía

Se recomienda visitar al médico. No obstante, adicionalmente podemos dar un tratamiento completo dando además el reiki en el tórax y sobre la parte superior de la espalda. Igualmente se hará el reiki sobre las muñecas y articulaciones de los dedos pulgares de ambas manos.

Resfriados

Tratamientos integrales y adicionalmente las siguientes posiciones: 1, 6, 7 y 9.

Respiración (problemas de)

Tratamiento completo con tiempo adicional en las siguientes posiciones: 1, 3, 4, 6, 9, 10, 15 y 16.

Reuma

Tratamiento completo con tiempo adicional en las siguientes posiciones: 10, 11, 16 y 19.

Riñones

Tratamiento completo con tiempo adicional en las siguientes posiciones: 1, 11, 16, 17 y 20. Igualmente, se ha de tratar el segundo chakra.

Rodillas

Tratamiento completo y llevar a cabo las siguientes posiciones: 19 y 21. También conviene colocar ambas manos en las dos rodillas cubriendo todos los ángulos. Si existiera algo crónico, se trabajarán los chakras tercero y sexto, respectivamente.

Ronquera

Se hará un tratamiento local con las siguientes posiciones: 1, 3, 4 y 6. Si existe mucha molestia con cierta frecuencia, se tratará el quinto chakra.

Senilidad

El reiki ayuda muchísimo en el tema de la vejez. Se hará un tratamiento completo con tiempo adicional en las siguientes posiciones: 1, 2, 3, 4, 6 y 16.

Senos (mamas)

Para las mujeres que estén iniciadas en el reiki es recomendable un tratamiento diario entre quince y treinta minutos, como prevención a enfermedades.

Si hubiera tumores o algo más, se dará un tratamiento completo con un tiempo adicional en las siguientes posiciones: 1, 3, 6 y 11.

Sida

La primera recomendación sería que la persona se iniciara en al menos el primer nivel de reiki. Se dará un tratamiento completo diariamente al menos de tres meses de duración y además llevar a cabo las siguientes posiciones: 7, 10, 11, 15, 16 y 21.

Tabaquismo

Si queremos conseguir que la persona deje de fumar, se trabajará sobre los chakras primero y sexto. Además, llevar a cabo las siguientes posiciones: 1, 4, 6, 10, 11, 16 y 21. Psíquicamente se le puede animar diciéndole que tiene voluntad para dejar el vicio.

Taquicardia

Se han de tratar las dos muñecas y además llevar a cabo las siguientes posiciones: 6, 10 y 21.

Tartamudeo

Se dará un reiki completo con tiempo adicional en las siguientes posiciones: 5, 7 y 9. También se dará el reiki debajo de las dos clavículas, al lado izquierdo y al lado derecho.

Tensión sanguínea alta

Llevar a cabo las siguientes posiciones: 6, 8 y 21.

Tensión sanguínea baja

Llevar a cabo las siguientes posiciones: 14, 15, 17 y 21.

Tensiones musculares

Se hará un tratamiento local y asimismo se llevarán a cabo las siguientes posiciones: 1, 10, 15 y 16. Si están muy avanzadas, tratar también el sexto chakra.

Testículos

En primer lugar se visitará al médico y después se puede dar un tratamiento completo con tiempo adicional en los testículos de veinte a treinta minutos. La posición es necesario que abarque completamente los testículos.

Tiroides

Se tratará el quinto chakra y asimismo se llevarán a cabo las siguientes posiciones: 1, 6, 7 y 15.

Torceduras

Después de visitar al médico se tratará el tema local, entre veinte y treinta minutos, de tres a cinco veces al día.

Tos

Se dará el reiki en la parte superior de la espalda y además se llevarán a cabo las siguientes posiciones: 1, 6, 7 y 10.

Traumas en las cervicales

Se pondrá una mano debajo y otra encima de la gran vértebra cervical. Asimismo se llevarán a cabo las siguientes posiciones: 4, 14, 17 y 21.

Tumores de pecho

Se darán tratamientos completos con frecuencia y se llevarán a cabo también las siguientes posiciones: 11, 17 y 21. Asimismo conviene tratar los chakras segundo y cuarto.

Úlceras

Se dará un tratamiento completo con un tiempo adicional en las zonas afectadas. Si es una úlcera de estómago, se ha de dar el reiki sobre la parte superior del brazo, sobre la cara externa.

Vejiga

Si hay un tema crónico, se tratará el segundo chakra con las siguientes posiciones: 4, 11, 14, 17 y 20.

¿Cómo podemos compartir reiki en pareja?

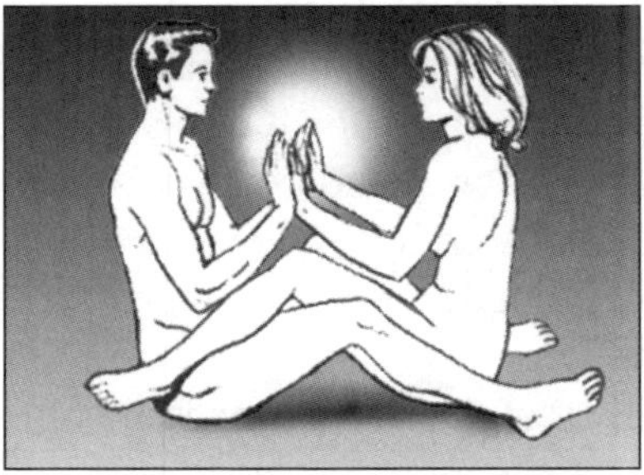

Como podrá comprobar el lector, en el transcurso de este libro se nombra varias veces la palabra «compartir»; pues bien, ahora más que en otras ocasiones animo a llevar a cabo esta experiencia fantástica para unir a dos seres humanos en la meditación y el amor.

Colóquese frente a su pareja, de esta manera primero estamos juntando nuestros chakras, convirtiéndolos en siete dobles o, lo que es lo mismo, catorce. Sentirá una serie de sensaciones alucinantes, sentimientos que de alguna forma mejorarán la relación amorosa. Por este motivo, este ejercicio es magnífico para aceptar al que tenemos enfrente de nosotros, si se está enamorado de la persona.

Es uno de los mejores ejercicios para dos seres humanos que se sientan unidos y quieran compartir, que se quieran, se deseen, quieran sentir juntos la llamada ardiente del amor. Si llevan a cabo este fantástico ejercicio antes de hacer el amor, por ejemplo, y del acto sexual, a buen seguro que nunca antes habrán sentido tanto acercamiento, placer y goce.

Respecto al tiempo que podemos emplear en este ejercicio es de aproximadamente de unos nueve minutos.

¿Cómo hacer el ejercicio? Sentados encima de una superficie semiblanda, y como ya he dicho antes colocados uno frente al otro, se han de separar ambas piernas y doblar las rodillas ligeramente. Júntense lo suficiente como para que puedan poner las piernas de uno sobre las piernas del otro; como final se han de juntar ambas palmas de las manos.

Viva ese momento mágico, por medio de las vibraciones de los dos cuerpos fundidos en uno solo. Sentirá una sensación de bienestar, seguridad, amor y comprensión, que nunca antes había sentido.

Si quieren, pueden realizar algún tipo de mantra, como por ejemplo sonidos reiki; esto lo aprendí en un curso especial de reiki en la sierra madrileña de Navacerrada, de esto hace aproximadamente tres años. El sonido es ah... subiendo y bajando la escala musical; aunque se esté sin conocimiento de las notas musicales da igual. Lo ideal de esto es hacer este mantra en grupo; es como si habláramos con el espíritu hacia el Universo, hacia el firmamento, un canto de libertad, de esperanza en vivir la vida en plena armonía hacia el Más Allá. Como si quisiéramos traspasar la frontera del tiempo, o como si las almas saliesen de otra dimensión, para vivir la sensación de experimentar con el corazón la alegría de sentirse amado, acompañado, unido al mundo espiritual, celestial, una unión con el Cosmos, a través de los sonidos de nuestras gargantas.

Si llevamos a cabo estos ejercicios tres veces por semana, entre dieciocho y veintiún minutos, nuestra alma, el corazón y el espíritu nos llevarán, lo mismo que hace un avión, a mundos desconocidos. Lleven a cabo este ejercicio y seguro que sus vidas cambiarán a mejor.

Prefacio

Se preguntará el lector por qué escribir otro libro más de reiki. Había un programa en Televisión Española cuyo título era como sigue: «Todo está en los libros». Sabemos por propia experiencia que no todo está en los libros, ya que la naturaleza nos da mensajes constantemente sin necesidad de recurrir a un libro, a este libro; pero de paso que yo he ido cultivando la práctica de la sanación por medio del reiki, esta energía maravillosa del Universo a través de mis manos, he pensado que tengo algo que decir y aportar a los ya existentes libros sobre el tema y aquí estoy para demostrarlo.

Cuando se ha estado enfermo como estuve yo, enfermo del sistema nervioso en dos ocasiones en mi vida, sin deseos de vivir, triste y melancólico, cuando le pedía a Dios que me hiciera ciego, cuando no tenía ninguna seguridad en mí mismo, quería morirme y me sentía inferior al resto de los humanos. Al haber conseguido estar más sano ahora que en mi primera juventud, os contaré algo que me pasó a los veinte años en la ciudad que me vio nacer, Olite, Navarra, lugar este de magníficos monumentos culturales, como es el Castillo Palacio, tres magníficas iglesias y mucha cultura musical y poética. Bueno, en un día de mucho sol, amanecí con un flemón en el lado derecho de la cara, mi madre se asustó mucho y me llevó a uno de los dos médicos que había entonces en Olite; me miró el doctor y me dijo que había que sajar para que se me curara; como aquello de abrir no me sonaba muy bien, le invite a mi madre a que fuéramos a otro médico. Este segundo médico me dijo todo lo contrario que el anterior: no era necesario abrir, y me recetó unos sellos —en aquella época era normal que te recetaran sellos—. El primero me decía que era necesario llevar la cara tapada, en cambio el médico segundo me recomendaba que me pusiera una venda y que me destapara la cara. La moraleja de todo esto es que en una semana me curé, a Dios gracias. La lección que aprendí de esto es muy importante: ante una enfermedad visitemos a más de un médico, puede ser beneficioso para nosotros.

Deseo con todo mi corazón que este libro que tiene en sus manos le sirva como inspiración para estar cada día más sano, y recuerde que nuestros pensamientos van creando nuestros estados anímicos; por tanto, si pensamos y vivimos como personas sanas, alegres y dinámicas, así serán nuestras vidas. Si puede estar sano, ¿por qué estar enfermo?

Por suerte para los seres humanos, tenemos la posibilidad de aprender a sanarnos a nosotros mismos y a nuestros semejantes por medio de reiki cercanos a una nueva era; una manera de estar cada vez más sanos, y por tanto mucho más felices, puede ser el iniciarnos en estas técnicas provenientes de Oriente, que se practican por más de un millón de personas en los cinco continentes del mundo. Hoy en día existen más de seis mil maestros reiki repartiendo su conocimiento por la vida. Esta energía, que se consigue a través del Universo, hace que en ocasiones donde la medicina no consigue nada allí el reiki puede y hace milagros; milagros sí, ya que en muchas ocasiones la medicina tradicional nada puede hacer en ciertas enfermedades; y precisamente el reiki tiene cabida mejorando enormemente a la persona que quiere sanarse, cosa ésta muy importante para que se produzca la sanación. Muchas personas preguntan si el reiki cura el cáncer, por ejemplo, el sida y otras enfermedades llamadas graves; no hay respuesta para ellos, ya que quien se cura es precisamente el enfermo. Lo que sí puedo afirmar con certeza es que, si la persona enferma quiere sanar, tiene un 99 por ciento de probabilidades de conseguirlo, más que quien no confía y duda de los poderes del reiki.

¿Es conveniente ser médico para practicar el reiki?

Sinceramente no es imprescindible; lo que sí es aconsejable es estudiar y tener una buena enciclopedia sobre el funcionamiento de nuestro organismo y, por supuesto, que cuanto más se sepa del funcionamiento del cuerpo humano mejor podremos llevar a cabo las sanaciones. Hoy en día existen en el mercado magníficas enciclopedias que nos ayudarán a conocer con más detalle el buen funcionamiento de los seres humanos; también ahora con el Cd-rom tenemos al alcance de nuestras manos una valiosa herramienta para poder estudiar.

Al escribir este libro, se me ocurre que puede ser interesante comunicar a los lectores que la Universidad Complutense de Madrid ha creado unos cursos de acupuntura china por medio de agujas; a ellos pueden acudir quienes tengan la carrera de medicina; ésta es una buena noticia, ya que hay personas que únicamente creen en las cosas que se llaman ciencia, y todo lo demás no lo aprecian para nada. De manera que el mundo camina ya por el siglo XXI, estaremos constantemente recibiendo sorpresas de este tipo, en las cuales la medicina naturista está adquiriendo cada vez más fuerza y poder, sobre todo las hierbas, que por otro lado es algo que la naturaleza nos obsequia gratuitamente para beneficio nuestro. Mi enhorabuena a la Universidad Complutense por ese acercamiento a la técnica china de acupuntura.

Duración de una sesión completa de reiki

Lo ideal para que el reiki funcione es estar alrededor de sesenta a noventa minutos haciendo la sanación; claro que tampoco esto es tan matemático, debido a que hay personas que cuando dan una sesión tienen un concepto diferente, creyendo que la persona puede estar suficientemente servida con menos tiempo del antes citado; por un lado está la paciencia que tenga el terapeuta, por otro las prisas que en ocasiones tienen los pacientes con la rapidez que se vive hoy día, sobre todo en las grandes ciudades. Si la persona es un niño, por ejemplo, el tiempo será menor, la mitad más o menos, además que los niños son muy inquietos y en ocasiones no son capaces de permanecer mucho más de veinte minutos sin moverse. Hablando de moverse, es bueno que el paciente, cuando se comienza la sesión íntegra de reiki, permanezca inmóvil para que pueda tener más efectos beneficiosos. En cuanto a si hay que hablar o no, esto es relativo, al menos en la primera sesión; no obstante, recomiendo hablar antes de la sesión con la persona y darle confianza y seguridad, explicándole que la sanación es por medio de imposición de las manos y que le va a ser beneficiosa, positiva y altamente agradable. Después de estos pasos es más aconsejable permanecer en silencio, en un lugar tranquilo y con armonía, a ser posible sin ruidos ni interrupciones, para que la relajación sea total. Algunos se pueden quedar dormidos, esto es mejor cuando ya se han dado la vuelta; otros pueden llorar durante la sesión, reír, dependiendo del estado anímico; de cualquier manera, al despertar los sentimientos por medio de la apertura de los chakras, puede pasar de todo; eso sí, todo será positivo y enriquecedor para el paciente, de eso estoy seguro.

Cómo viví mi primera experiencia con el reiki

Me encontraba tocando la guitarra a dúo con un buen amigo pianista, Ángel Álvarez, en el Palacio de Gaviría de Madrid, situado en el número 9 de la calle Arenal. Por entonces, hablo del mes de febrero de 1993, en mi mano derecha tenía un ganglio, justo en el lado derecho, al final del dedo índice y llegando a la muñeca; sentía esa noche un dolor especialmente intenso que me impedía disfrutar de la música que estaba interpretando. Invité a una amiga mía, Encarnación Mansó, persona vidente, tarotista e iniciada en la sanación por la técnica reiki. En un momento de descanso le comenté lo que me pasaba y antes de despedirse, junto con su marido y una pareja de amigos, Encarnación me puso su mano en la parte de mi mano dolorida y en aproximadamente cinco minutos consiguió quitarme el dolor radicalmente; quedé prendado de ese evento y aproximadamente a los ocho días llamé por teléfono a mi amiga Encarnación para que me diera más información de la técnica o método que había empleado para sanar mi tan dolorida mano; ella me explicó que esta técnica se llamaba reiki y se aplica por imposición de manos, es decir que la energía de un cuerpo, el del sanador, se transmite al otro cuerpo paciente, por medio de la imposición de las manos. ¡Así de simple y maravilloso!

Recuerdo que en mis visitas al médico me informó que si el ganglio iba a más había que operarlo, cosa ésta que no me hizo mucha gracia; también recuerdo que me ponía en algunas ocasiones la citada mano debajo de una pirámide (esto lo hacía por el poder curativo que se le atribuye a estos objetos, claro está colocándolos con la orientación adecuada). Ya nunca más me volvió el dolor. Quiero hacer la observación de que esta amiga es del signo astrológico de Aries, que es el principio de todo, y, cosa curiosa, la persona que me impartió mi primer curso de reiki, de cuya maestra aprendí mis primeros pasos en él, Rita Freyeisen, también es de este signo, que como digo es el principio de todas las cosas. Ahora recuerdo también que a primeros de ese mismo año yo estaba decidido a iniciar el estudio de algo nuevo y ésta fue la forma de comenzar con el reiki, que considero desde ese momento mágico muy apasionante.

Por tanto, desde el año 1993 y desde «febrerico el corto», me iniciaron en el primer nivel de sanación por la imposición de manos denominada reiki. Creo recordar que el segundo nivel lo recibí al mes siguiente. Nos encontrábamos ocho discípulos en este segundo nivel y la maestra Rita nos vio que estábamos tímidos para cobrar las sanaciones y nos hizo lo mismo que le hicieron a ella sus maestros. Nos sugirió que cuando tuviésemos un billete de diez mil pesetas, nos lo tragáramos. Por aquel entonces, el que suscribe no estaba muy boyante de dinero y esperé la ocasión para, cuando tuviera el citado billete, comenzar a tragármelo. A la semana siguiente poseía uno de diez mil pesetas y comencé a tragarlo en cachitos pequeños, tardé alrededor de un mes en ingerir el billete. La finalidad de esto es para que nunca nos faltara dinero y para que fuéramos valientes en cobrar nuestro trabajo de sanadores. He de decir que me dio resultado, ya que todo en esta vida tiene un precio. Desde esas fechas todos los días hago autosanación, es decir sanación conmigo mismo (porque es importante que el sanador se cure o sane a sí mismo antes de sanar a los demás) y por supuesto hago sanación a todas las personas que lo necesitan y que acuden a mí en el «centro de reiki» que dirijo, y como anécdota diré que cualquier lugar que visito, si hay alguien que necesite que le ponga las manos, ahí estoy haciéndolo. Desde estas fechas he leído todos y cada uno de los libros que sobre el tema reiki he conseguido; realmente, aunque cada persona es un mundo, he considerado muy importante aprender de otros maestros que con sus experiencias comunican por medio de la literatura escrita todos sus avances y conocimientos, lo que según ellos nos puede servir, lo que nos puede perjudicar y sobre todo esos consejos que para estar sanos y acercarse a la técnica reiki se necesitan en el siglo XXI.

Soy de la opinión de que a nuestra mente cuanta más información le metamos sobre un tema, mucho mejor será a la hora de poder comunicar a nuestros pacientes todo lo necesario para que de alguna manera hagamos fáciles las cosas y no como hasta ahora nos habían enseñado diciéndonos, por ejemplo, que «la letra con sangre entra»; como esto es algo que nos han legado nuestros antepasados, nosotros lo admitimos como cierto y la verdad, creo que con buena voluntad, concentración y deseo de aprender, es más que suficiente para poder aprender todo cuanto estemos dispuestos a saber de las cosas que el mundo nos brinda. Si pensamos que las cosas son sencillas y fáciles, ése será el resultado que tengamos a lo largo del recorrido por esta vida. Así que estemos dispuestos a llevar a cabo las técnicas reiki, que es muy sencillo, todo el mundo puede aprender sin importar la edad, la religión que practiques o el partido político a que pertenezcas. Realmente, por mis muchas experiencias a través de mis estudios, he de decir que cuando he pensado que algo era fácil así me ha resultado; también a la inversa, me ha sucedido que si he creído que algo era difícil, el resultado ha sido precisamente ése. Para quienes todavía no les ha quedado claro qué es el reiki, les recomiendo que lean todo cuanto les llegue a sus manos sobre el tema reiki, el tema sanación y, cómo no, lo relacionado con los chakras; de esta manera verán y se darán cuenta que ciertamente es mucho más fácil de lo pudiéramos pensar. Por supuesto que mi mayor recomendación es que se dirijan a un maestro de reiki, para que él les informe con detalle de qué partes consta la iniciación y todo cuanto ayude a tener una idea clara de esta técnica milenaria.

Los resultados del reiki

En mis experiencias de sanador he conseguido para mí una gran satisfacción personal (porque lo más hermoso es conseguir curar cuando esto es lo que se desea): que una persona deje de fumar y se interese por iniciar estudios reiki; con otras personas, desaparición de dolores de cabeza y jaquecas, se han curado de estreñimientos, problemas depresivos, de nervios y de falta de aceptación a uno mismo; personas que han querido suicidarse en más de una ocasión, a través de la energía reiki se han sanado e interesado por vivir la vida más alegremente y sobre todo aceptando su cuerpo, las cosas que la vida les va dando y, algo importante, quererse, perdonarse y admitirse como ser humano. Pero quiero advertir que en realidad la persona que cura no es el sanador o terapeuta, sino que es el paciente quien se sana a sí mismo, es decir tenemos que contar con el firme propósito de la persona de que desaparezca la enfermedad o el problema; el sanador recoge la energía por medio de sus manos para fortalecer a la persona en el camino de sanación, en algunos casos difícil pero nunca imposible.

Efectos en el cuerpo humano

La sensación que se produce en la curación por la técnica reiki actúa sobre las partes siguientes: cuerpo, mente y espíritu.

Cuerpo.—La persona mejora de sus dolencias y en consecuencia tiene ganas de vivir, se le produce un entusiasmo en todo su cuerpo que se transmite a través de sus ojos, en su mirada hay un deseo ardiente de vivir, le brillan los ojos con una sensación de felicidad, relajación y deseos de vivir que serán contagiosos con las personas con las que toma contacto; también se desea tener una vida más ordenada y comunicativa. Como se le abren los chakras de una manera especial, irá sintiendo y queriendo comunicar sus sentimientos con más facilidad que lo hacía anteriormente. Una cosa que también le ocurrirá es que soñará cosas que antes no había soñado, sobre todo relacionado con los propios sentimientos y los de otras personas. La persona en cuestión se irá queriendo de una forma progresiva cada vez más. Sabido es que cada persona reacciona de una manera diferente ante la energía del Cosmos denominada reiki y que por medio del terapeuta unos sienten con más intensidad que otros, aunque lo que sí está claro es que en unas fechas u otras todos encuentran mejoría en esta técnica milenaria.

Mente.—Sabido es que la mente tiene un poder sobre el cuerpo muy grande; pues bien, los pensamientos y deseos de la persona tendrán un efecto positivo, creando imágenes con deseos de realizar actos y llevar a cabo cosas excelentes para él o ella. Irá recordando momentos pasados que le harán vivir recuerdos que se le habían olvidado en el subconsciente. Su capacidad de memoria para recordar cosas será mucho más efectiva, queriendo vivir en el recuerdo cosas de su niñez que le servirán para encontrar soluciones a muchas de sus preguntas que anteriormente no encontraban respuesta. Como con reiki siempre se le recomienda a la persona que tome gran cantidad de agua y que descanse y anote sus sueños en un papel, que puede dejar en su mesilla de noche para que recuerde con nitidez todo cuanto ha soñado, esta información le servirá para tomar determinaciones a lo largo de su vida de manera más acertada. Quiere esto decir que su mente estará más despierta y con gran intuición para saber qué hacer en cada momento de su vida.

Espíritu.—La parte espiritual de la persona se verá mejorada por la visión de la vida de una manera especial a partir de la tercera sesión de reiki; dicho sea de paso, para que una sanación terapéutica por ejemplo tenga sus mejores resultados, conviene que se lleven a cabo al menos cinco sesiones en días consecutivos, y a decir verdad el número ideal es de cinco sesiones. Donde se produce el máximo efecto es en la tercera sesión. Aunque los resultados del reiki se verán más efectivos a partir del día 21 de la primera sesión. Volviendo de nuevo a la parte espiritual del ser en cuestión, es de anotar y observar que se despierta en la persona el ansia de vivir con mucho entusiasmo. Un amor al ser humano se va despertando con un magnetismo personal que será muy notorio. Siguiendo con las sesiones de sanación, he de decir que precisamente el día de la tercera sesión es clave, porque la persona en ocasiones se pone peor en vez de mejorar, pero esto tiene una clara respuesta: «para mejorar físicamente, en ciertas ocasiones se pone peor», como señal de que va por buen camino. Lo mismo que detrás de un no hay un sí, y después de un fracaso viene el triunfo o el éxito, lo que es lo mismo, tras un fracaso a poca distancia está el éxito. Por tanto, el aspecto espiritual se ve compensado enormemente por el proceso de sanación de reiki.

La técnica del reiki

Es tan sencilla de practicar que incluso un niño puede realizarla. Esto es, por imposición de las manos y por medio de la apertura de los *chakras* de la persona, se puede llevar a cabo por un terapeuta, o por varios a la vez. Por cierto, a partir de los siete años se puede iniciar a un niño en reiki, incluso antes y hasta una edad infinita para los adultos.

1.º En primer lugar se alisa o iguala el aura de la persona, tres veces, con las manos a una distancia de aproximadamente quince o veinte centímetros del cuerpo del paciente. El terapeuta no es necesario que esté concentrado al realizar la sanación, como ocurre por ejemplo en otras técnicas como el yoga, etcétera.
2.º Que las manos del terapeuta del reiki estén unidas al realizar la sanación.
3.º Frotarse las manos antes de iniciar la sanación.
4.º Aprender el nombre de la persona a la que vamos a hacerle la sanación.
5.º Hacer una oración, dando gracias a los maestros que se haya tenido, a nuestros ángeles y arcángeles, a nuestros guías espirituales, a Dios y a las fuerzas universales.
6.º Preguntarle a la persona cuál es la parte o partes de su cuerpo que quiere sanar.

La parte lógica

Cuando una persona tiene una molestia en el cuerpo, o sufre alguna enfermedad, lo primero que coloca en la zona afectada son sus manos, de ahí que sea algo lógico que se realice el reiki por la imposición de las manos. En muchas cosas de la vida los avances modernos dan un buen resultado, pero en la sanación, sin descartar la visita a un médico, he de decir que el reiki juega un papel muy importante en nuestra sociedad. Si observamos cómo se suele dormir a un niño, vemos que, aparte de acunarle, cosa que también se hace con las manos, cuando se coge al niño en brazos se le suele dar suaves golpecitos en la espalda para que se duerma, cosa que habitualmente se consigue con este sistema; esto es una forma de hacer reiki y tengo que decirte, amigo lector, que con esto sólo comprobamos que no se descubre nada nuevo, todo existe ya dentro de nosotros, sólo es cuestión de recordar lo que ya poseemos todos; por supuesto que es imprescindible el aprender las técnicas de sanación y autosanación que llamamos reiki.

El reiki es necesario cultivarlo y darlo a conocer

En el siglo XXI, cuando existen tantas enfermedades, unas psicológicas y otras que el ser humano se va provocando, es de vital importancia que vayamos cultivando, practicando y viviendo esta energía universal con decisión.

Pasado cierto tiempo, nos damos de cuenta con gran precisión de la importancia que tiene el estar sanos, vigorosos, y el ser optimistas y estar llenos de entusiasmo. De las manos, que son una de las partes de nuestro cuerpo importantísimas, podemos comprobar su fuerza y poder al transmitir la energía que fluye en el firmamento y que está para que nosotros la cojamos y aprovechemos su fuerza y poder en beneficio nuestro y de los seres humanos, animales o cosas. Ya en la antigüedad, por ejemplo la época de Cristo, se cultivaba la imposición de manos para calmar el dolor, mejorar la salud, relajar el cuerpo y estar en armonía con el universo; por ello no es de extrañar que un niño, por ejemplo, cuando tiene algún dolor o molestia en su cuerpo, enseguida ponga sus manos en la parte dolorida (quien tenga a un niño en su casa o cerca podrá comprobar este hecho). Si digo que el reiki es necesario, lo admito por mi propia carne. Si quiere que sus sentimientos sean más vigorosos, expresarse con más naturalidad y sobre todo que pueda llevar una vida más armoniosa, desarrollando incluso un magnetismo personal que irá aumentando de manera que vaya haciendo curación y autocuración. Puede comprobar que sus propias manos cada vez son más poderosas; que su cuerpo, mente y espíritu son cada vez más lúcidos; que pase lo que pase en su vida es más fuerte. Hay que observar de manera especial que, al canalizar la energía e igualar los chakras, se produce un cambio importante en nuestro interior, que en ocasiones puede dar lugar a un estado diferente al que queremos conseguir, pero esto es bueno y necesario de la misma manera que «cuando llueve escampa»; de la misma forma el reiki al purificar muestro cuerpo, en ocasiones nuestro estado de ánimo da la impresión de sentirse peor. Pero querido y querida lectora, esto es porque vamos por buen camino, no se desespere si está haciendo sanación a su cuerpo y le ocurre esto, o si lo está haciendo a otra persona. Para limpiar el cuerpo de impurezas, primero hay que querer hacerlo y después estar dispuesto a admitir este proceso que aparentemente puede ser lento y cargado de inconvenientes. ¿A quién no le ha ocurrido que, queriendo por ejemplo dejar de beber, o de fumar, lo que ha conseguido en un principio ha sido beber más e incluso fumar más cigarrillos?

La vida es para vivirla a tope, con esperanza, disfrutar de ella, ser felices y vivir con alegría y sentir todo lo bello que hay en ella, como por ejemplo una salida al campo con la naturaleza, una puesta de Sol, una relación fructífera y, crean, el reiki no es una panacea, no es un talismán ni un comodín, pero en cambio con él puede conseguir vivir una vida plena, sentir el disfrute y goce de su cuerpo en armonía con el Cosmos. Ver a otros seres humanos cómo van mejorando su contacto con el cuerpo y otras cosas que irá descubriendo con paciencia y tenacidad. En cada ser humano hay una cantidad de energía que a veces no canalizamos bien; con este arte antiquísimo de la imposición de las manos que llamamos reiki podemos disfrutar de algo tan maravilloso y simple como es poner las manos; creo que es bonito y conveniente que lo intente, que profundice sobre el tema y que se sorprenda de cómo con sus propias manos y la energía universal puede aliviar, curar y mejorar muchísimas enfermedades que no son más que pecados que creemos tener y al ponernos enfermos es como si quisiéramos pagar con esa moneda. Piénselo, la enfermedad es algo que nosotros provocamos, unas veces porque no nos queremos lo suficiente y otras enfermamos para de esta manera adquirir cariño de nuestros familiares, amigos, etcétera.

En el caminar de la vida existen cosas muy positivas y sencillas, otras difíciles; en el caso de la sanación por reiki el sistema es bien sencillo: la imposición de sus manos, para usted o para los demás. ¡Ánimo, que descubrirá cosas fantásticas de sus propias manos!

Sesión completa de reiki

1. La confianza que tenga y que dé el terapeuta al paciente es muy importante.
2. Bríndele su amistad o, mejor dicho, actúe como un buen amigo.
3. Lleve a cabo una conversación con el paciente para que vaya adquiriendo confianza; conviene comunicarle cómo se lleva a cabo la curación con la imposición de las manos y responder con cariño y con el corazón a las preguntas que se le ocurran al paciente; háblele de la importancia de los chakras.
4. A ser posible, poner una música relajante durante el tiempo que dure la sesión de reiki. De la misma manera podemos poner a quemar incienso.
5. Lavarse las manos antes de cada sesión y al finalizar la misma.
6. Que el cliente se quite los zapatos y todo objeto metálico que esté en contacto con su cuerpo: medallas, cadenas, reloj; el terapeuta del reiki que haga lo mismo.
7. Llevar a cabo la sanación en una camilla, ya que tanto para el terapeuta como para el paciente es necesario que estén cómodos; la silla para el terapeuta le ayudará mucho, si en algún momento se siente fatigado o con necesidad de sentarse.
8. Anteriormente a la sesión curativa, dé las gracias al Universo y al sistema reiki, así como a Dios por el poder mágico del reiki. Realícelo con los ojos cerrados.

9. Dígale al paciente que haga lo mismo, que dé las gracias a las fuerzas enérgicas que vayan a su cuerpo.
10. Que el paciente se afloje la ropa que le apriete, como cinturones, corbata, botones del pantalón (lo mismo tiene que hacer usted consigo).
11. Para que el paciente pueda recibir la energía reiki y poder sanarse, es imprescindible que quiera curarse y admita la energía universal, si no nada podremos conseguir con la sesión.
12. La ropa que el terapeuta de reiki ha de emplear, aunque no es totalmente necesario, es de color blanco, ya que simboliza la pureza y la perfección.

Todas las posiciones o posturas de reiki

Las posiciones de las manos tienen un contenido diferente en nuestro tratamiento llamado integral. Como la energía no tiene polaridad, da lo mismo dar el reiki con una mano que con otra. La energía del reiki pasa lo mismo una manta que una escayola; en nada entorpecerán el movimiento y acción para realizar la sanación. Existen algunas personas que desean tener un contacto directo con el terapeuta. De aquí la importancia que existe en tocar a la hora de sanar, como ya lo explica el libro *El poder del tacto,* explicado en la bibliografía y que recomiendo encarecidamente a todos su lectura. Se recomienda no colocar las manos encima de las heridas que se encuentren abiertas, las partes que estén quemadas y otras cosas parecidas a forúnculos, etcétera. Nuestra recomendación es que se coloquen las manos a unos quince centímetros de las zonas que se hallen afectadas.

Es imprescindible y totalmente beneficioso que a la persona que viene a la consulta se le pregunte qué partes de su cuerpo quiere sanar. Esto es muy lógico, debido a que quizá nosotros nos percatemos de que tiene unas zonas más afectadas que otras, pero es la persona que tengamos en ese momento en la camilla quien ha de decidir qué zonas del cuerpo quiere y desea sanar. Al llevar a cabo las sesiones es de suma importancia que el terapeuta, el reikista, confié en sus poderes para sanar a la personas y con los ojos cerrados hacer afirmaciones diciendo, por ejemplo: Sé que tengo poderes para curar a María, o a Manuel, en el supuesto de que así se llamaran ella o él. Antes de la sesión, se ha de tomar contacto con la persona para saber si tiene diagnóstico médico, cuánto tiempo lleva de tratamiento, cuál es su estado anímico actual... Y decirle que somos vehículos transmisores, que son ellos mismos quienes se curan; por este motivo será de gran provecho el que la persona quiera curarse, para que la energía reiki fluya por todo su cuerpo con libertad y positivamente. En ocasiones hay pacientes que vienen diciendo que su madre, su padre e incluso algún familiar ha muerto de la misma enfermedad que esa persona. Aquí hay que ser cauto y dejarle a la persona que hable, pero decirle que la salud en ocasiones está en nuestro estado anímico y que podemos romper de alguna manera esa continuidad de que los hijos heredemos las enfermedades que tenían o tienen nuestros familiares.

Al llevar a cabo la sanación, nuestros dedos han de permanecer juntos y la posición de las manos un poco ahuecada, sin hacer demasiada fuerza al colocarlas encima del cuerpo del paciente.

Observación

Cada vez que realizamos una posición diferente hemos de tener en cuenta que, al cambiar, una de las manos esté en contacto con el cuerpo para que no pierda la energía, lo mismo que se debe hacer cuando se está dando un masaje, y recuerde que los dedos han de estar juntos los de cada mano.

Las posiciones del reiki

Posición n.º 1 (Figura 1)

La persona tumbada boca arriba con el cuerpo relajado, ojos cerrados, piernas sueltas y con una actitud positiva. Se le colocan las manos encima de los ojos y la frente, como se ve en la ilustración, las manos están paralelas a las fosas nasales, con el cuidado de no tapar éstas para que pueda respirar con naturalidad; podemos decir al cliente que, mientras hacemos la sanación, vaya realizando respiraciones profundas para que el reiki tenga mejor resultado.

Como tenemos en la cabeza tantos nervios, esta posición tendrá los beneficios siguientes: evitará enfriamientos; si los tiene, corregirlos; excelente para combatir el estrés, el agotamiento físico y psíquico, las alergias y enfermedades que sean crónicas. Se armonizan las glándulas pineal y pituitaria, órganos de los ojos, mandíbulas, la nariz, los dientes. Aumenta la intuición de la persona por encontrarse allí el llamado tercer ojo. La persona mejorará su memoria y recordará cosas del pasado y del presente, y se le activará la acción hacia su futuro. Como aquí se activa el sexto chakra, mejorará en el asma si lo hubiera, cataratas y problemas de la visión ocular.

Posición n.º 2 (Figura 2)

Ahora las manos se desplazan para colocarse encima de las sienes, las puntas de los dedos se ponen encima de los maxilares superiores. Conseguimos con esta posición armonizar los hemisferios cerebrales (esto sirve para la razón y la emoción), el estrés, los problemas para conseguir una buena concentración, los músculos y hemisferios cerebrales, dolores de cabeza, resfriados, y se va sintiendo la relajación del cuerpo poco a poco.

Posición n.º 3 (Figura 3)

Las dos manos están cubriendo las orejas. Con esto se beneficia la faringe, órganos relacionados con el equilibrio de la persona; bueno para quien esté con afecciones en los oídos, ruidos en los oídos, orejas, para quien tiene una sordera que se le ha ocasionado repentinamente. Esto también es excelente para quien se dedica a la música, para los que están en un estado de confusión en su vida, sin saber qué pasos dar para llevar a cabo un proyecto nuevo, por ejemplo.

Posición n.º 4 (Figura 4)

Las manos colocadas paralelamente, realizando un giro muy suave de la cabeza hacia el lado derecho, posándose en la parte occipital de la cabeza, con las puntas de los dedos tocando la médula oblongada o bulbo raquídeo (como ya sabemos, esta parte está colocada en un lugar blando; lo podremos comprobar si deslizamos las manos sobre las líneas centrales de la cabeza, dirigidas hacia la nuca).

Dolores de cabeza, resfriados, miedos, molestias abdominales, asma, náuseas, estornudos, desarreglos circulatorios, relajación, problemas oculares, bloqueos del sexto chakra.

Lugares de reflejo de los chakras principales (del 1 al 4), la médula oblongada, el cerebro, los meridianos del intestino grueso, así como los del triple recalentador, de la vejiga, del meridiano guía 8, llamado vaso gobernador).

Posición n.º 5 (Figura 5)

Las manos colocadas suavemente en las orejas, tirando con suavidad hacia arriba. Se benefician los oídos, problemas de ruidos, trastornos en el equilibrio, dolores de oídos, sordera, cera en los oídos, etcétera.

Posición n.º 6 (Figura 6)

Manos colocadas en la parte anterior del cuello, sin que sea necesario tocarlo, ya que hay ciertas personas que pueden sentirse intimidadas.

Palpitaciones cardíacas, inseguridades, dolores de garganta, anorexia, problemas relacionados con el peso, las cuerdas vocales, glándula paratiroidea, glándula tiroidea, ganglios, vicios de algunas posturas, tensiones en el tronco, hombros, musculatura de las piernas. Agresividad, con represión o reprimida, tensiones en las arterias, problemas relacionados con la comunicación, dolores de garganta, excelente para las personas que tengan que hablar mucho, cantar o dar conferencias, ronqueras, amigdalitis, falta de seguridad en sí mismo.

Posición n.º 7 (Figura 7)

El timo, una mano colocada encima de la otra, únicamente en esta posición y en el ano; se colocan ambas manos una encima de la otra. Magnífico para conseguir el perdón, quitar agresividades, conseguir más decisión y voluntad; al practicarlo se consigue una paz interior magnífica, en ocasiones la persona se puede quedar dormida en esta posición.

Posición n.º 8 (Figura 8)

Una magnífica postura reiki, colocando las manos en sentido paralelo encima de las costillas inferiores del lado derecho, la vesícula biliar, el hígado; por tanto, las enfermedades de la vesícula biliar y el hígado, trastornos en la digestión, algunas agresividades reprimidas o excesivas, algunos estados de tristeza y dejadez, desintoxicaciones, enfermedades del metabolismo.

Posición n.º 9 (Figura 9)

Justo al lado contrario y la posición de las manos igual que en la anterior, en el costado del lado izquierdo; excelente para combatir el cáncer, el sida, intestino, bazo, páncreas, la diabetes, trastornos en la digestión (hay una posición especial en los codos).

Posición n.º 10 (Figura 10)

Realizar esta posición poniendo una mano encima del ombligo y la segunda por debajo. Excelente para los shocks, sistema linfático y las digestiones.

Plexo solar, tercer chakra, hara, etcétera. Ardores, sensación de plenitud, miedos, armonía interior, enfermedades relacionadas con el metabolismo, facilita las digestiones, aumenta la vitalidad, complejos de inferioridad, orgullo, temas de depresión, mejora el corazón y los sentimientos.

Posición n.º 11. (Figura 11)

Formando las manos una «V», se colocan sobre los huesos que tiene la pelvis originados por sus bultos. Excelente para los tumores en los pechos, intestinos, órganos urogenitales, el apéndice, los chakras primero y segundo.

El reiki con su energía mejora los dolores de espalda, las molestias de la menopausia, el temor a aproximarse a otras personas, los problemas de peso, anorexia; fortalece la irrigación sanguínea, da fuerza y poder para vivir creando un deseo de amor profundo, fortaleciendo los deseos sexuales y las relaciones de pareja; hemos de tener en cuenta que esta zona es de una gran sensibilidad por estar entre los dos primeros chakras.

Posición n.º 12 (Figura 12)

Manos colocadas en las rodillas. Fabulosa posición para este siglo XXI; con esta posición conseguimos que la persona admita los cambios que se producen en su vida, ya que las rodillas es el centro donde se van cargando los cambios que, por cierto, en el trayecto de una persona, son muchos los que se producen a lo largo de toda su vida. He visto cambios importantes al realizar esta postura durante la sanación.

Posición n.º 13 (Figura 13)

Las dos manos envuelven los tobillos. Bueno para mejorar las articulaciones, las zonas reflejas relacionadas con los órganos de la pelvis. Mejoran las lesiones que afecten a toda la región pélvica, creando un estado de desbloqueo hacia el chakra raíz o de base. Sensación de aperturismo a los viajes.

Posición n.º 14 (Figura 14)

La persona se da la vuelta. (Se le alisa o iguala el aura antes de seguir con la sanación.) Aquí las manos se colocan sobre los omóplatos en sentido horizontal.

Bueno para combatir los dolores de cabeza, lesiones musculares en la nuca y en los hombros; magnífico para el estrés, los problemas que puedan ocasionar las responsabilidades. Vesícula biliar, los músculos de las cervicales, que tanto daño suelen hacer a las personas que trabajan en una postura monótona. También ayuda al triple recalentador de los intestinos. En esta zona del cuerpo se van sentando todas nuestra tensiones. Hay un ejercicio muy bueno para combatir uno mismo este dolor, y es el siguiente: colócate mirando de cara a la pared, con las puntas de los dedos tocando la pared, y pon las manos en alto, intentando tocar el techo, o el cielo; estira las manos todo cuanto puedas, verás cómo se te alivia el dolor; lo puedes realizar un par de veces cada día, el cuerpo se te quedará muchísimo mejor, de eso estoy convencido. Me lo enseñó un amigo estomatólogo, el doctor Pedro García Cardeña, acuariano, con quien hice un curso de Dale Carnegie, Oratoria Efectiva y Relaciones Humanas; por cierto que su esposa María Antonia, leonina, también está iniciada en reiki.

Posición n.º 15 (Figura 15)

Manos colocadas encima de los omóplatos. Se benefician el corazón, los pulmones, la vejiga, el meridiano del intestino delgado. Las enfermedades cardiovasculares, del pulmón, así como los sentimientos reprimidos, que en ocasiones nos cuesta expresar, algunas de las depresiones que tenemos a lo largo de nuestra existencia, estados dominados por muchas de las emociones estancadas en el subconsciente.

Posición n.º 16 (Figura 16)

Manos colocadas encima de los riñones, sobre la parte trasera de las costillas inferiores. Piedras en los riñones, problemas relacionados con la pareja, las relaciones que causan problemas en las relaciones interpersonales, problemas de riñón, las alergias, los estados de shocks, los problemas relacionados con el sexo, excelente para desintoxicarse. Las glándulas suprarrenales y, por esto, los riñones. Como ya he dicho, es conveniente beber mucha agua para que nuestros riñones vayan a las mil maravillas.

Posición n.º 17 (Figura 17)

A esta posición se le conoce como posición sacroilíaca. Mano derecha encima del cóccix y la mano izquierda encima, al igual que lo hicimos en la posición del timo. Excelente para quitar las hemorroides, el sistema digestivo, infecciones en el intestino, las fisuras, las enfermedades causadas por los órganos urogenitales.

La energía reiki fluye a través de la vagina, bueno para tratar la ciática, vejiga; éste es el primer chakra. Magnífico para el desarrollo de la sexualidad, dando deseos de compartir el amor y creando un halo positivo en la relación de pareja, cosa ésta que en ocasiones tenemos miedo de compartir.

Si el amor mueve la vida, en esta posición conseguiremos que a las personas que hace tiempo que no tienen relaciones amorosas se les despierte el deseo de vivirlas con gran intensidad; ayudará en la parte creativa de la persona y los deseos de vivir intensamente.

Posición n.º 18 (Figura 18)

Ahora, para que podamos equilibrar toda la energía sobre toda la columna vertebral, se ha de colocar una mano sobre la séptima vértebra cervical, sobre la base del cuello, y la otra sobre el sacro.

Esta posición hay que mantenerla hasta que percibamos la sensación de la energía. Esto es, pulsaciones, calor, sensación de picoteo, hemos de sentirlo en ambas manos. Todas estas sensaciones nos delatarán que la energía está en perfectas condiciones de equilibrio del sistema nervioso y de la columna vertebral.

Posición n.º 19 (Figura 19)

Esta posición es excelente para este siglo que nos ha tocado vivir, ya que las manos están colocadas en los huecos de los poplíteos, en los dorsos de las rodillas. En estas partes es donde se sitúan los miedos, los cambios que experimentamos a lo largo de nuestra vida.

Los chakras secundarios aumentan la capacidad del aprendizaje, dan flexibilidad para poder adaptarse a diferentes circunstancias, capacidad crítica. Bueno para las lesiones deportivas, menisco, rótula, la bolsa sinovial. Los bloqueos que dificulten la salida del flujo energético, que se sitúa desde los pies hasta el chakra Mulhadara. Por este motivo, es sensacional para los ciclistas, por ejemplo.

Posición n.º 20 (Figura 20)

Manos colocadas sobre las plantas de los pies; se ha de cubrir con las manos las puntas de los dedos. Asma, hígado, tiroides, las zonas reflejas de los órganos corporales, los meridianos del estómago, vesícula biliar.

Podemos realizar a través de la parte superior de los pies un tratamiento muy relajante y efectivo. La toma de tierra de todos los chakras y las regiones corporales, así como los dolores de cabeza; excelente para las personas muy sensibles, por ejemplo quienes han nacido bajo el Sol en Piscis, tengan la Luna en Piscis, o planetas en Piscis, lo mismo que si tienen su ascendente en el citado signo astrológico.

Se aconseja después de los estados de coma, los posibles shocks, narcosis. Hemos de tener en cuenta que los pies son una zona muy sensible del organismo humano y que hay pies calientes, pero la mayoría son fríos; si es así, es que la circulación de la sangre de esa persona es tirando a mala. *(Para saber más sobre el comportamiento de los pies, aconsejo que estudie el arte de la reflexología podal, seguro que le beneficiará mucho.)*

Posición n.º 21 (Figura 21)

Manos colocadas sobre las manos de la persona; a esta posición yo la llamaría especial, ya que al ser las propias manos las sanadoras y colocadas encima de las otras manos están realizando una labor importante para que el paciente, cuando tenga que saludar a alguien, tenga más energía y decisión que lo normal. Hoy en día hemos de tratar a muchas personas diariamente; esto ayudará a sentir el tacto con otros.

Coloque sus dos manos en la mano derecha del cliente de tres a cinco minutos, después pase a la mano izquierda con sus dos manos. Recuerde que los dedos han de estar totalmente unidos unos con otros.

Observación

Hemos de tener en cuenta, querido lector, que sobre estas posiciones de base existen otras que cada maestro o terapeuta se va inventando, y que además en reiki, por experiencia, diré que existen como tres tendencias: la antigua o pionera, la moderna y una que se va creando en los principios del siglo XXI; así que si le han hecho reiki y ha percibido otras posiciones, no se alarme por ello, ya que es lógico que no se siga todo a rajatabla para que la creatividad de la persona esté fluyendo y se desarrolle, de acuerdo a los cambios que experimentamos en nuestras vidas. Ame el reiki como es y verá cómo le va descubriendo nuevos horizontes en su vida. ¡Adelante, que la felicidad es suya! Está en sus diez dedos de sus manos, viva la vida con amor, por amor y con el perdón que caracteriza a los humanos, como Cristo nos perdonó en la cruz. Si no es cristiano, no importa, el ser humano, por el hecho de haber nacido, ya es hermano de sus semejantes, no importando el color ni la raza. Si vivimos la vida con valentía y con el deseo de hacernos cada vez más felices, la vida caminará por senderos insospechados y construiremos un mundo donde el amor será la ley y regla para todos.

Todo es posible cuando se pone el corazón en lo que se está haciendo. Yo creo haber puesto toda la carne en el asador. Hoy concretamente, cuando estoy escribiendo este texto, que sale de lo más profundo de mi corazón, es Jueves Santo, y Madrid está casi desierto; he aprovechado que el teléfono no suena y mis amigos, familiares y amor se encuentran lejos, para sacar lo mejor de mí mismo y transmitirlo por medio de la literatura. Siempre pensé en escribir mis experiencias para que pudieran en un momento servir para los seres humanos, lo mismo que a mí me ha ocurrido con otros libros que he leído. Realmente es maravilloso escribir y comunicar los sentimientos que uno lleva dentro; en este momento, tengo tantas cosas para decir, que mis dedos son más lentos en el ordenador que mi espíritu. Además estoy escuchando música barroca maravillosa de Bach, Soler, Scarlatti, etc., en la guitarra que me sirve de inspiración. Ojalá un día, amigo lector, pueda como yo plasmar su sabiduría, sentimientos y amor en un libro como lo estoy haciendo en estos momentos con el Sol en Aries. Día 27 de marzo, con Mercurio en Conjunción, Venus y...

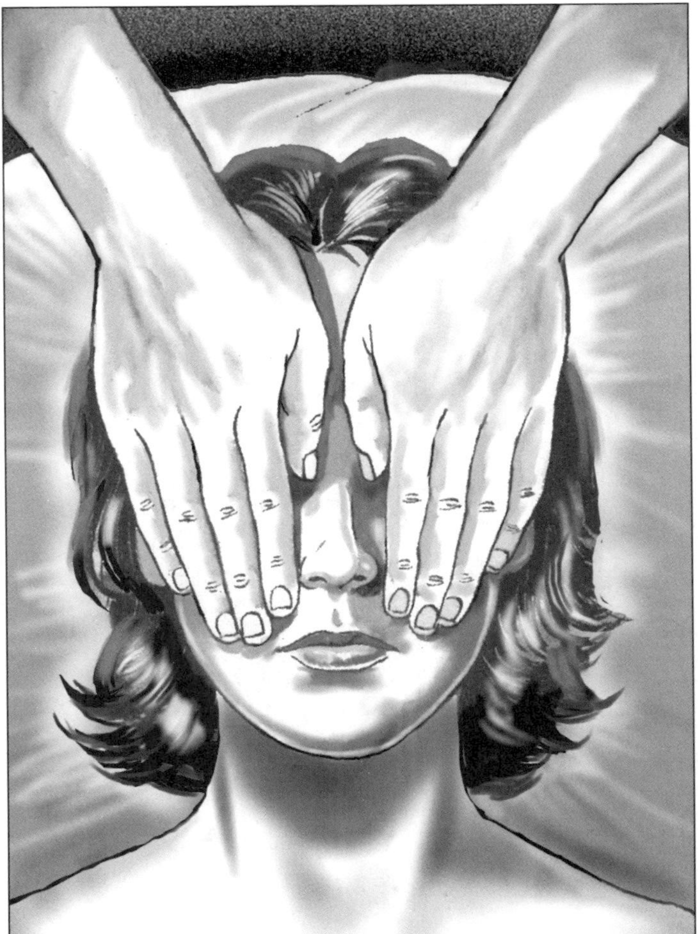

Figura 1

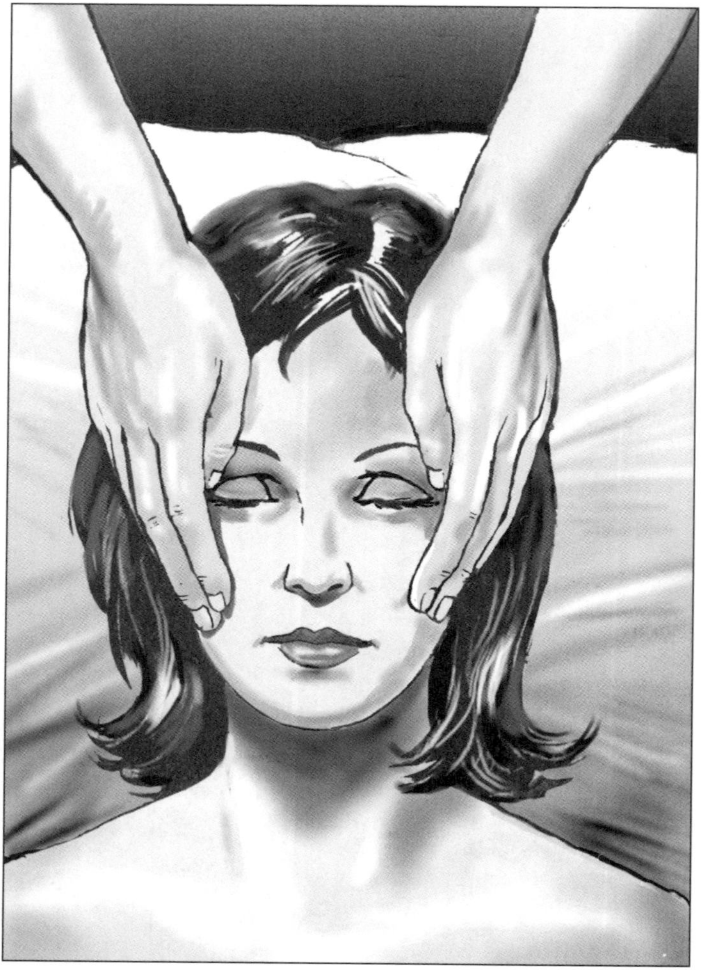

Figura 2

Figura 3

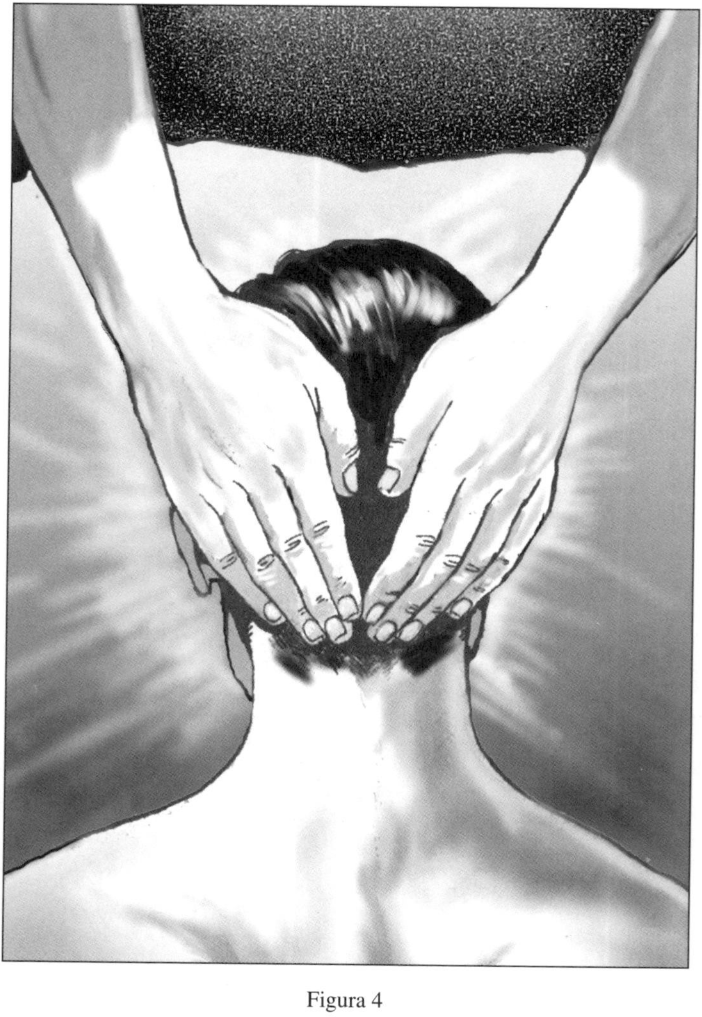

Figura 4

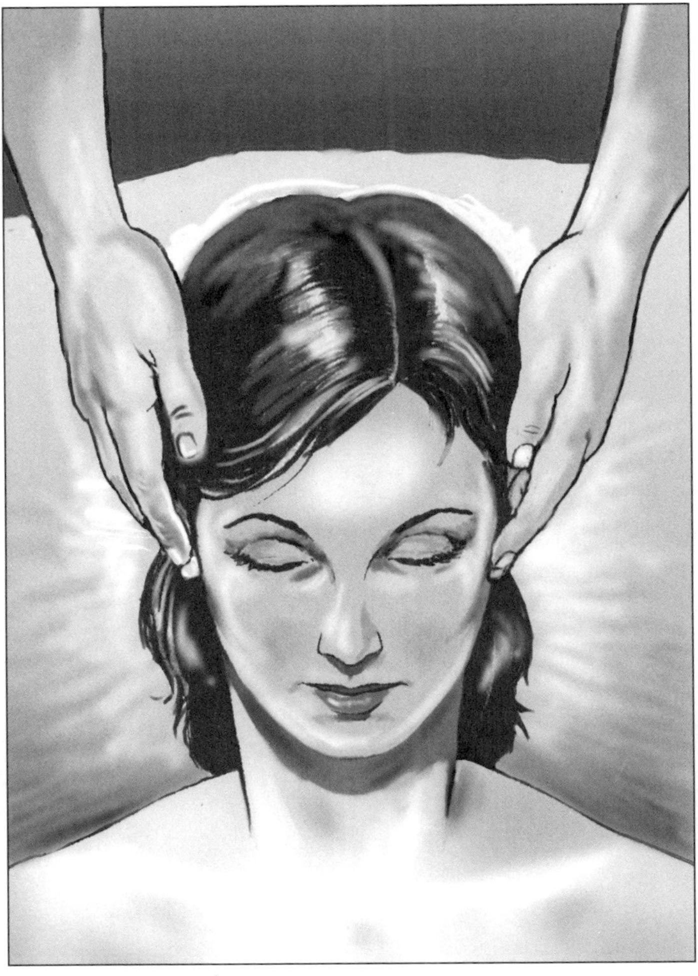

Figura 5

Figura 6

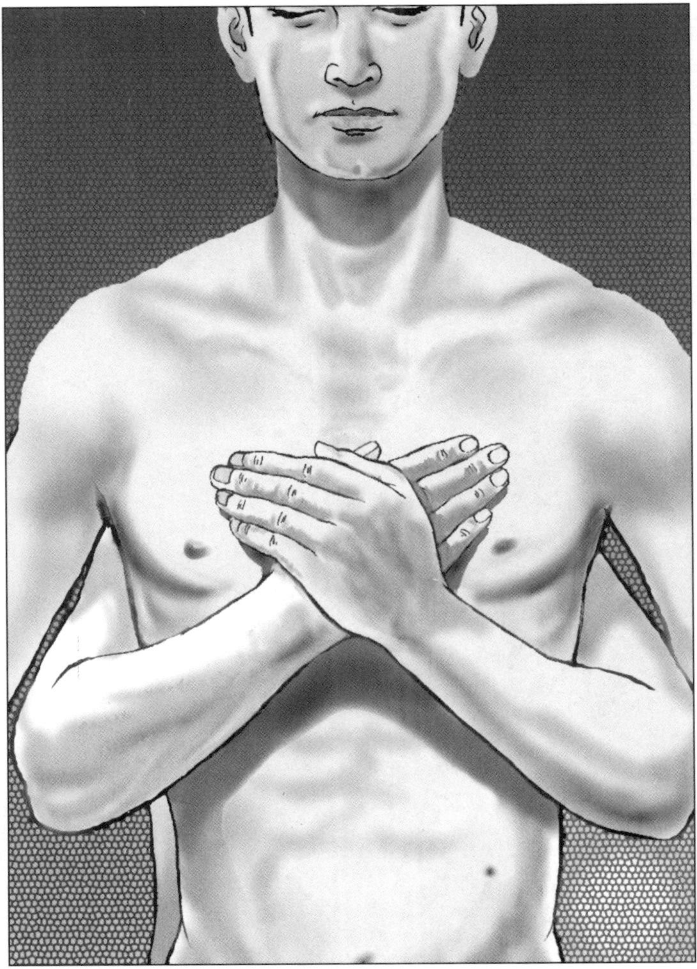

Figura 7

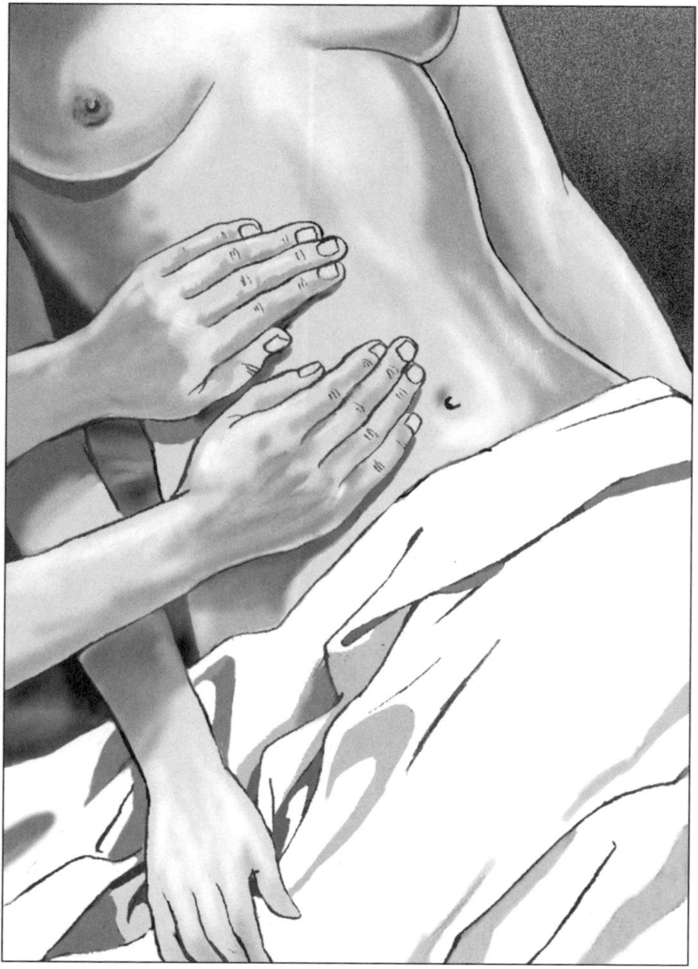

Figura 8

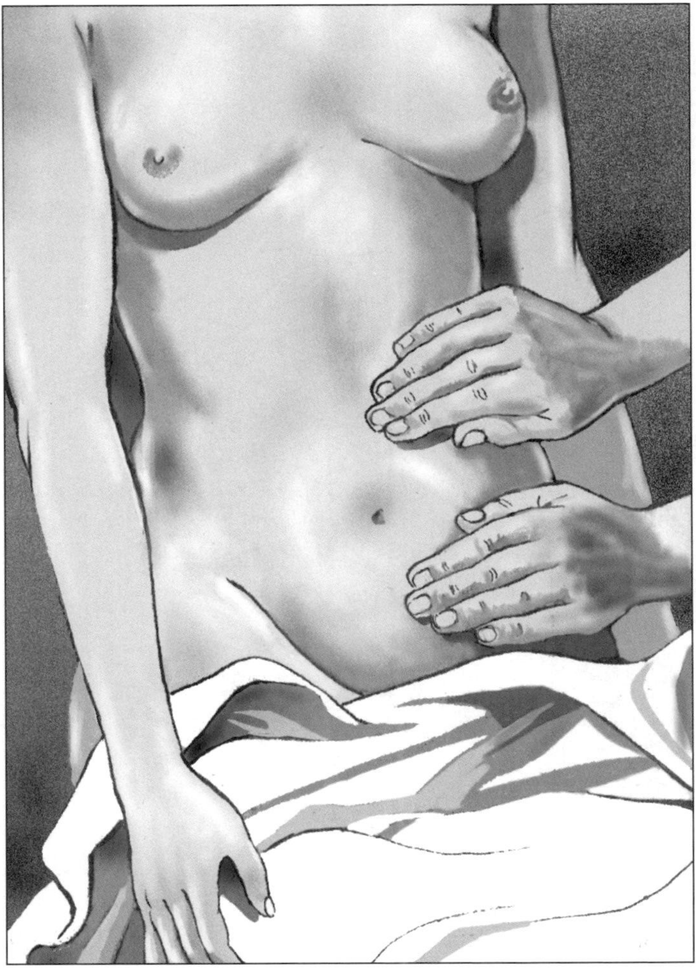

Figura 9

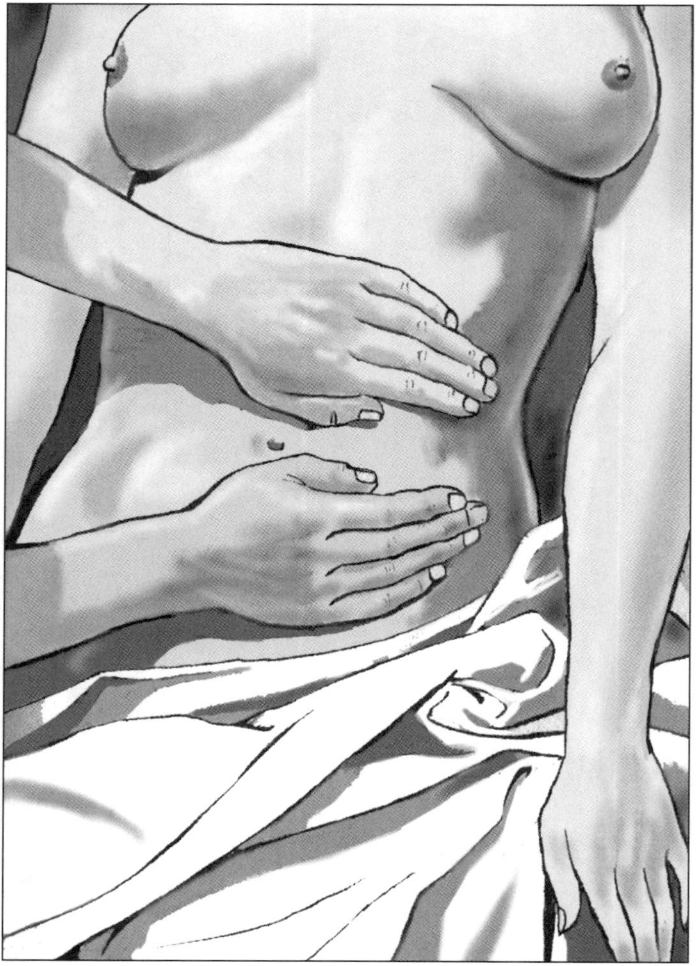

Figura 10

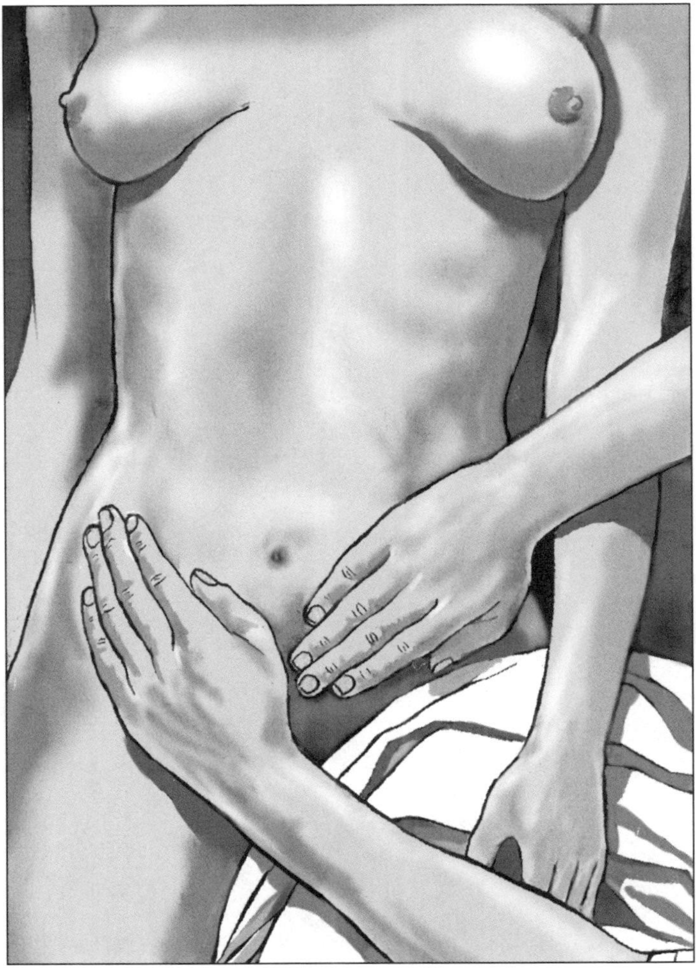

Figura 11

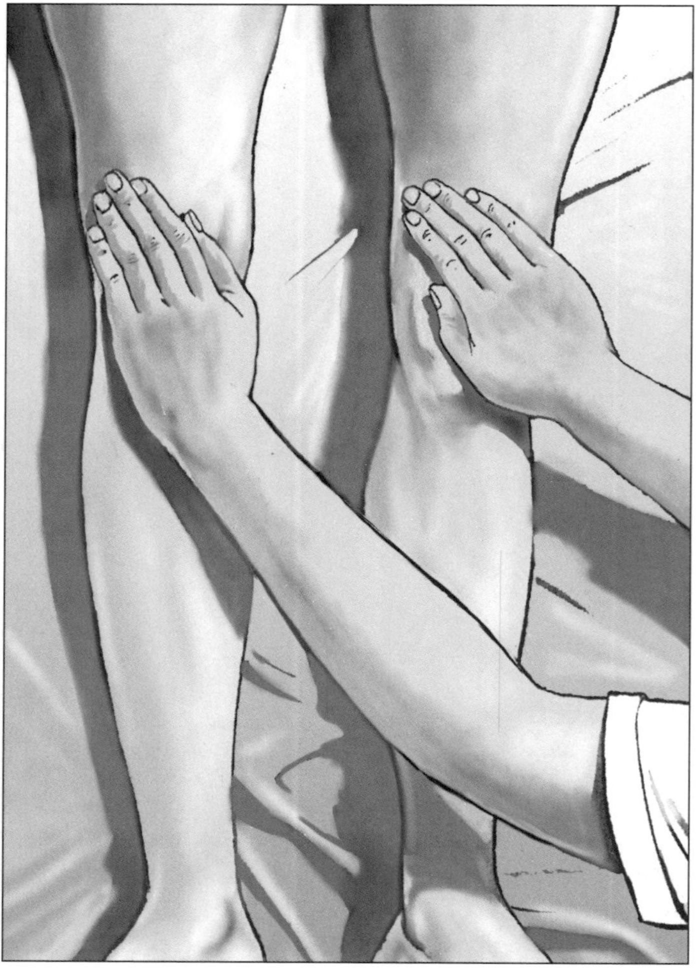

Figura 12

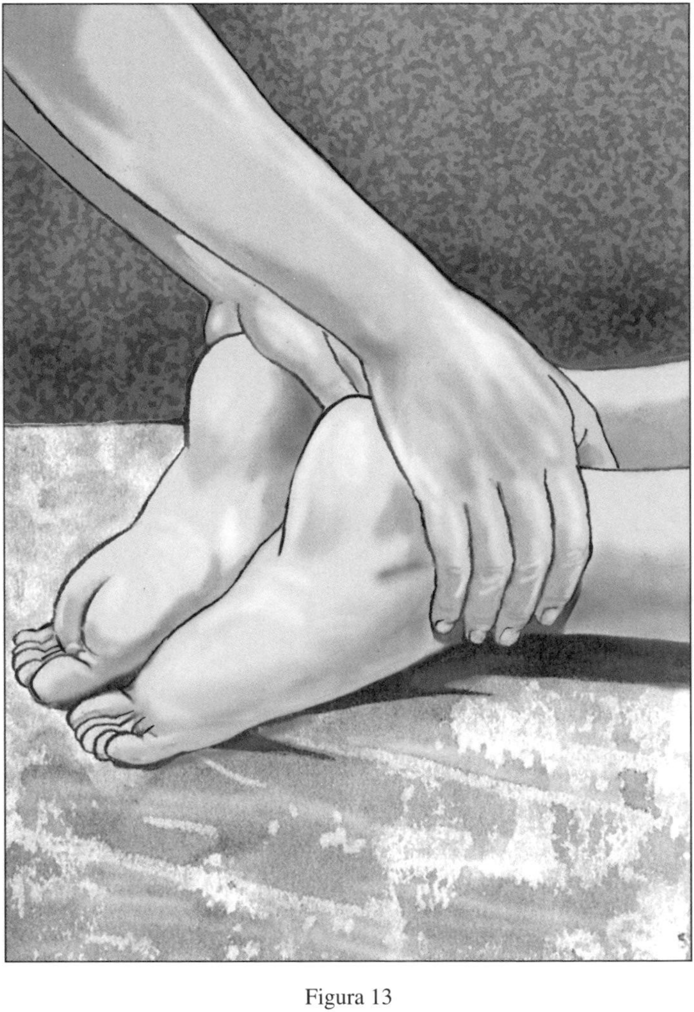

Figura 13

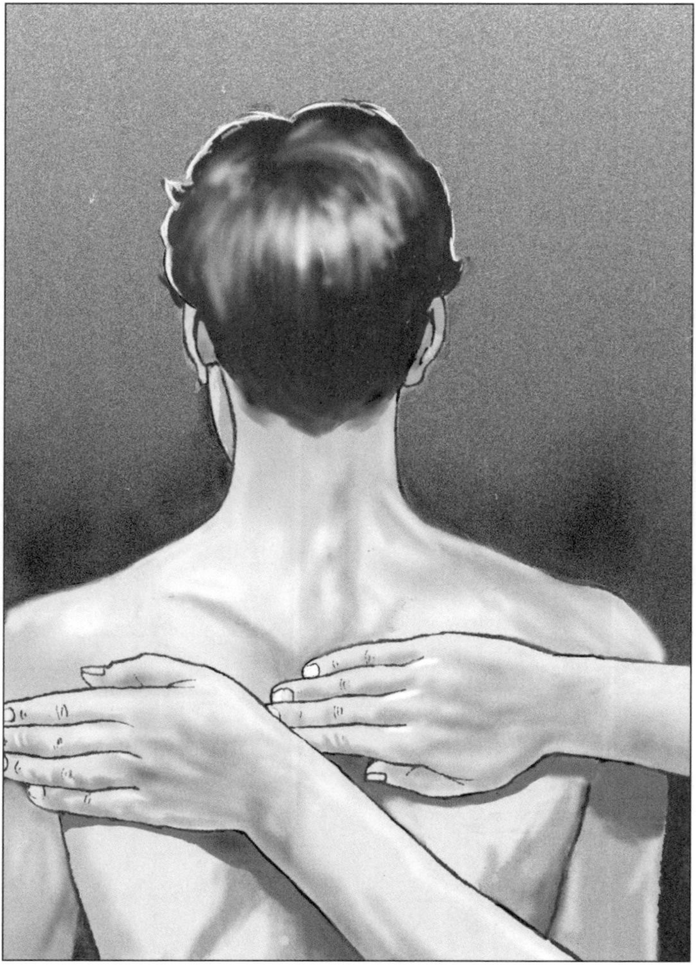

Figura 14

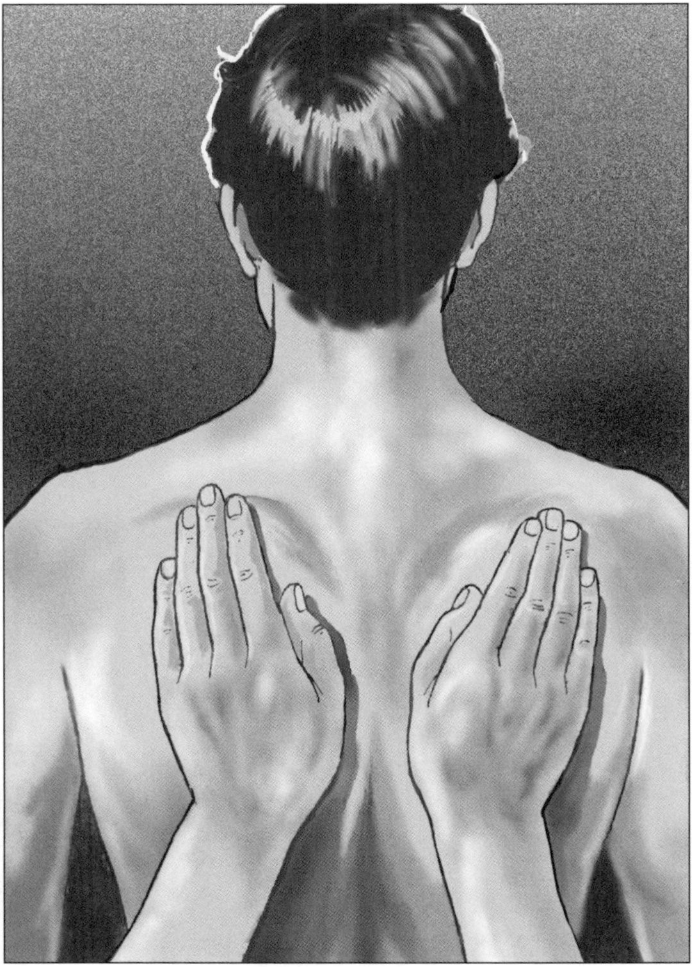

Figura 15

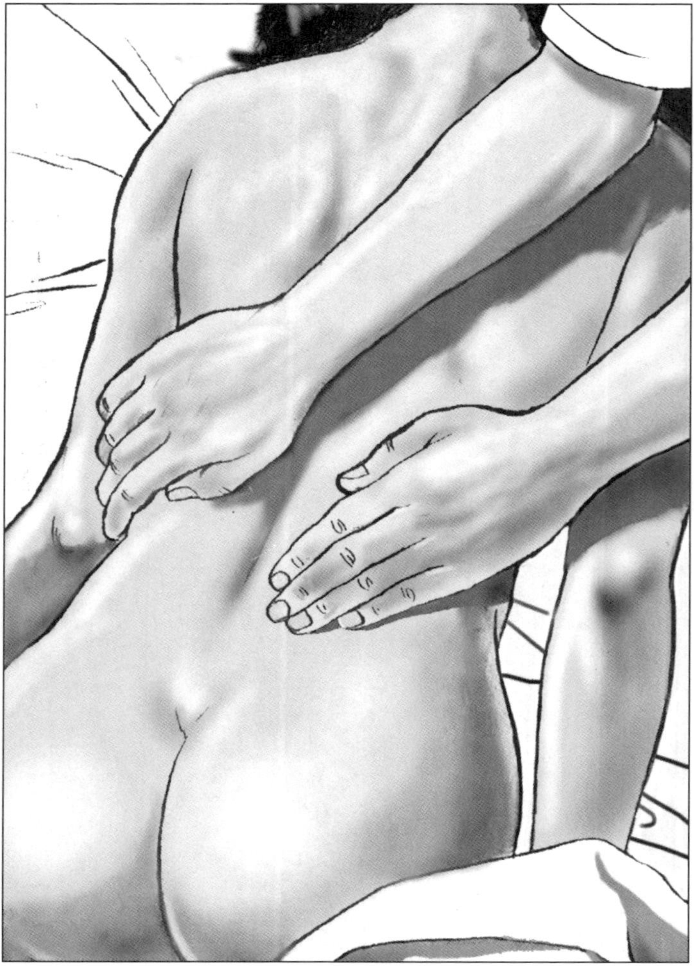

Figura 16

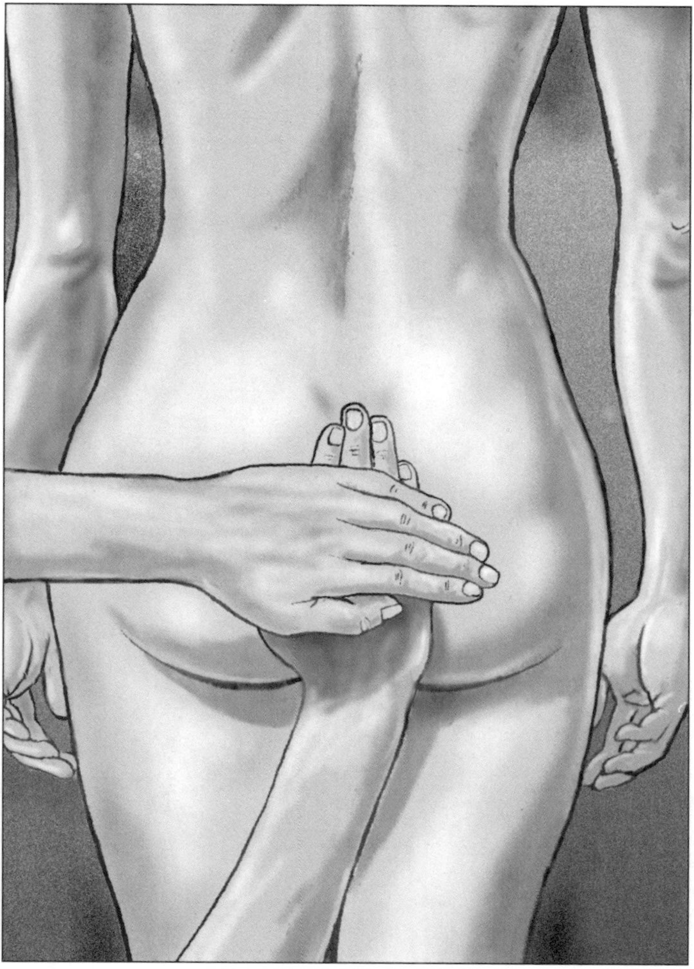

Figura 17

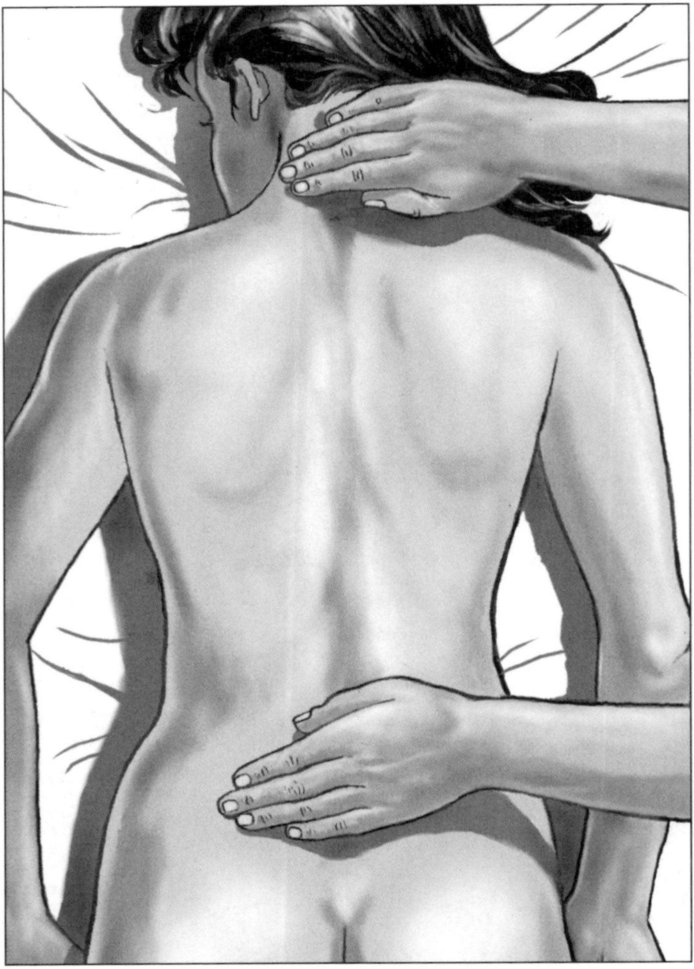

Figura 18

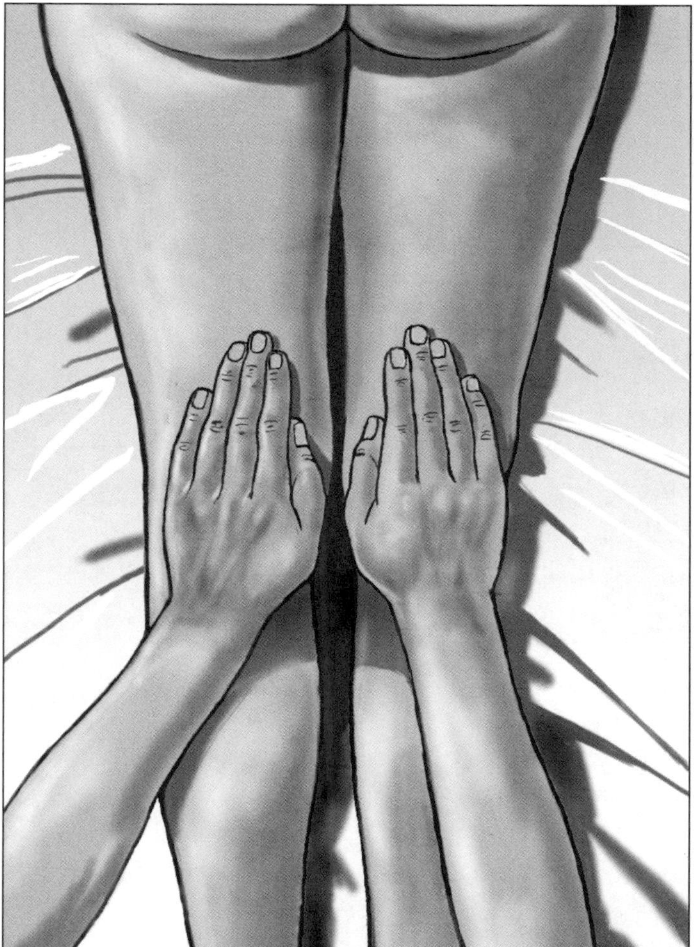

Figura 19

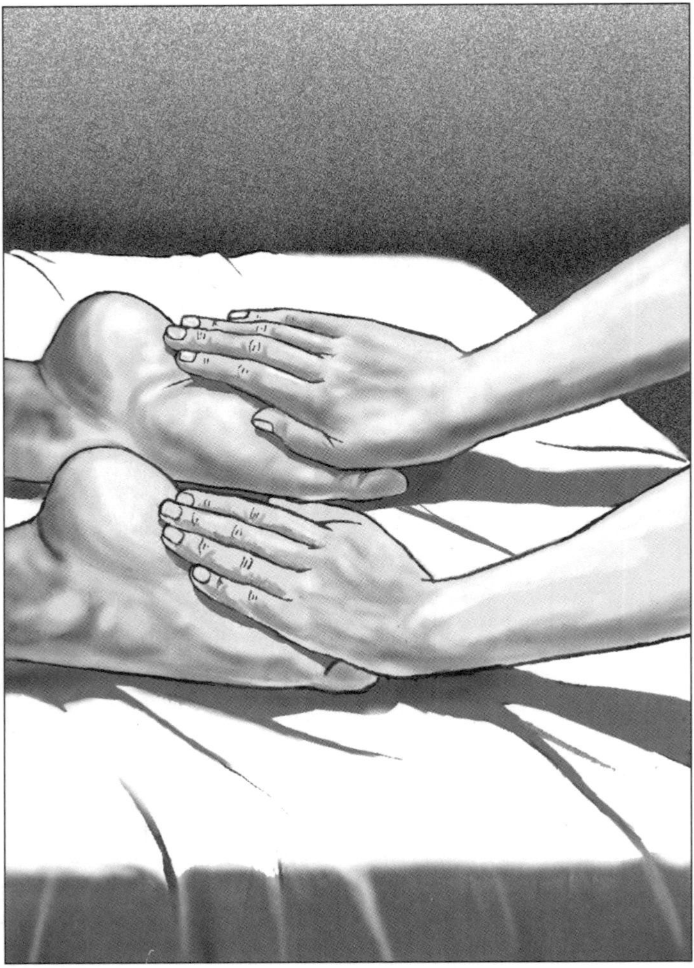

Figura 20

Figura 21

El autotratamiento

Aquí voy a explicar todas las posiciones que el terapeuta reiki se puede hacer a sí mismo; algunas ya se han descrito al hacer la sanación a otras personas, muchas de ellas no se podrán realizar por lo difícil que puede resultar el poner nuestras propias manos en partes del cuerpo que están alejadas de las manos; de todas las maneras, con la práctica puede conseguir cosas que no había pensado que podría llevar a cabo.

Posición número 1

Se colocan las manos por encima de la cara, a los dos lados de la nariz, estando las bases de las palmas de las manos justo a la altura de los dientes; las manos han de estar bien pegadas.

Posición número 2

Se ponen las manos encima de la cabeza, los dedos han de estar bien pegados, claro está sin que para ello se hayan de montar los unos con los otros. Las palmas han de colocarse muy cerca de la parte superior de las dos orejas; es importante que encuentre una posición relajada con sus brazos.

Posición número 3

A esta posición la llamamos alternativa de la anterior; colóquense las manos sobre los dos laterales de la cabeza tapando las orejas. Esta posición es magnífica para sentirse regocijado con uno mismo.

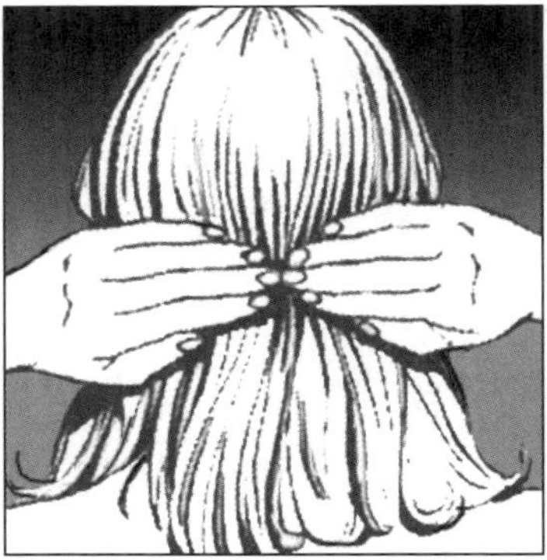

Posición número 4

Manos en posición detrás de la cabeza y puestas las manos sobre la base de la nuca. Todas estas posiciones se han de hacer relajadas y con suavidad.

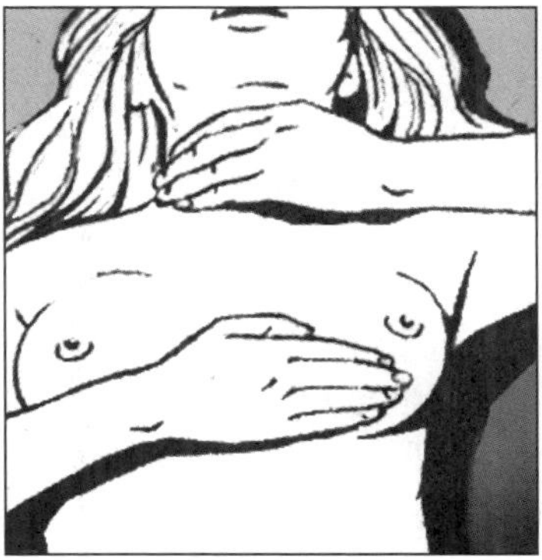

Posición número 5

La mano izquierda sobre la garganta y la mano derecha puesta en el corazón.

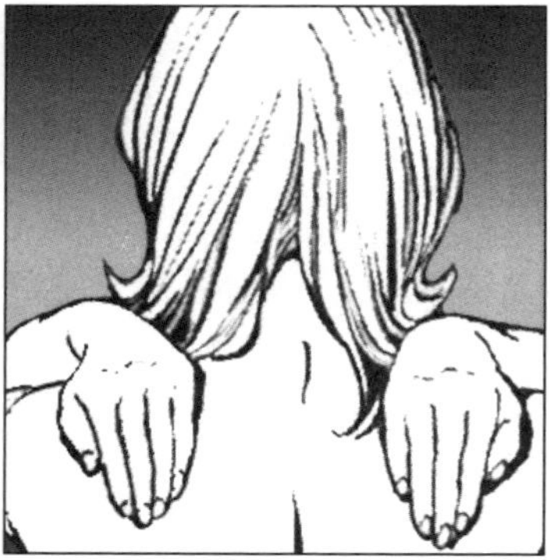

Las dos manos puestas encima de los hombros muy cerca del cuello.

Posición número 6

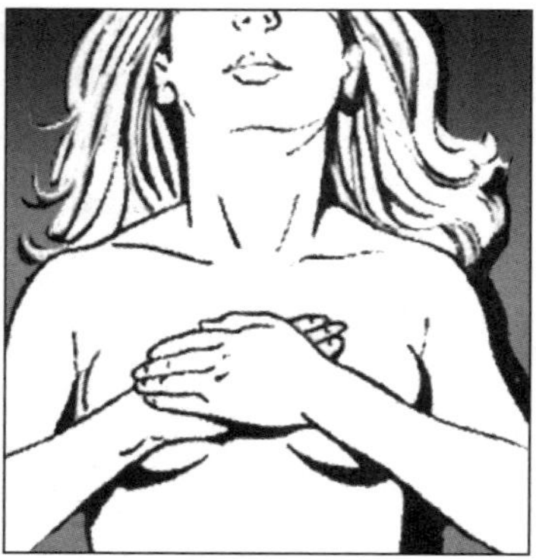

Las dos manos colocadas una encima de la otra, la derecha debajo y la izquierda encima, si se es diestro; si se es zurdo, al contrario, esto es justo en el timo. Sentirá una sensación de paz y bienestar sensacional, se lo digo por propia experiencia.

Posición número 7

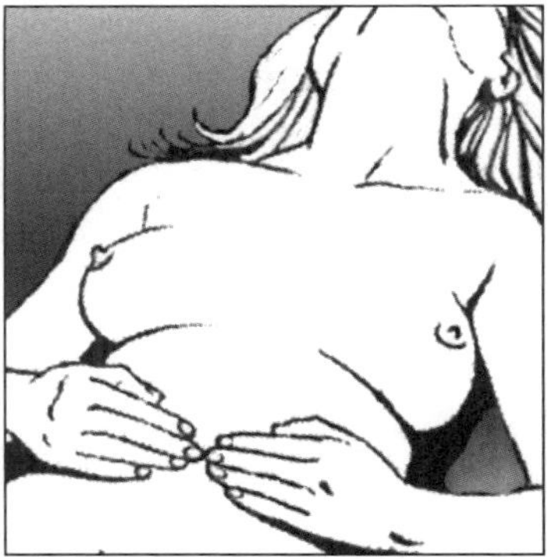

Posición número 8

Póngase las manos con los dedos tocando la parte superior del vientre, justamente debajo de su última costilla.

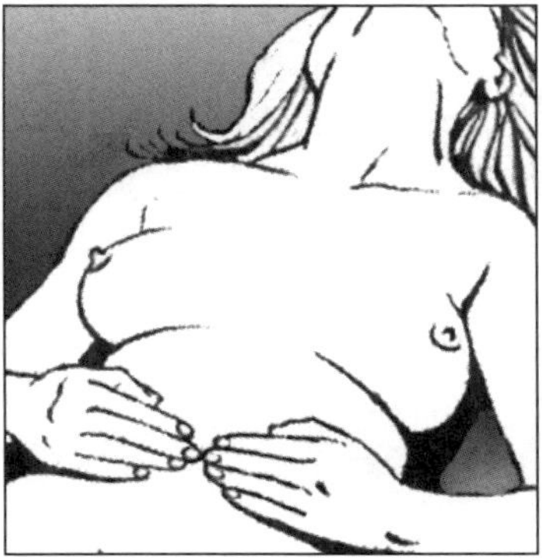

Posición número 9

Coloque sus manos justo en el centro del vientre, los dedos han de tocar el ombligo.

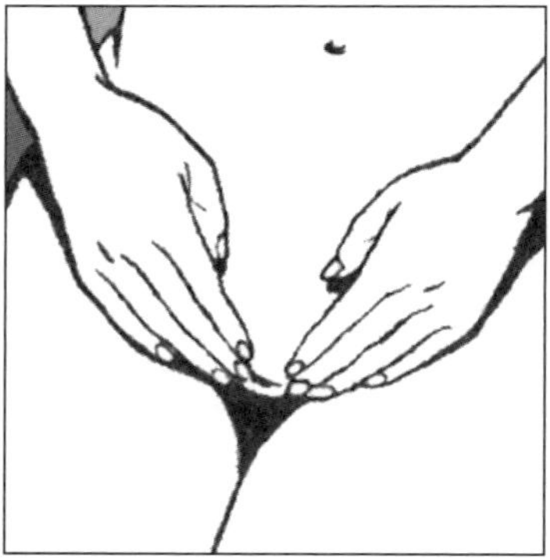

Posición número 10

Manos colocadas en la parte inferior del vientre, bases de las manos encima de los huesos de la cadera, asimismo las puntas de los dedos encima del hueso púbico.

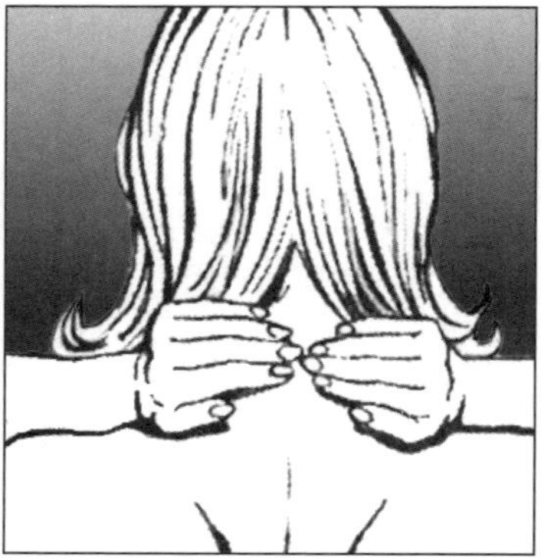

Posición número 11

Manos sobre el cuello, han de apoyarse sobre los hombros, con la punta de los dedos tocándose levemente.

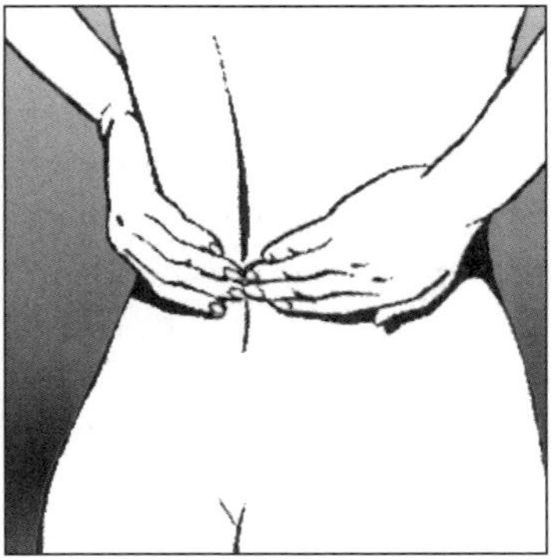

Manos colocadas justo en el centro de la espalda tocándose con los dedos, formando una «V».

Posición número 12

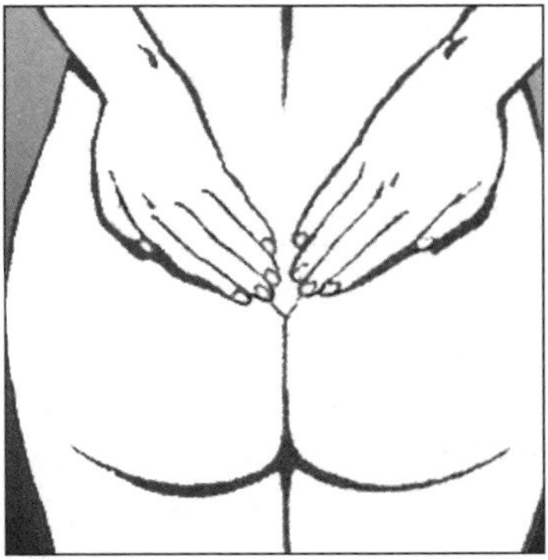

Las manos puestas aproximadamente unos veinte centímetros más abajo que la anterior posición, las puntas de los dedos sobre la altura del cóccix.

Posición número 13

Forma de poder dar reiki a partes de tu cuerpo que te resulten difíciles

Para poder alcanzar zonas que no le es posible poner sus manos, puede emplear los símbolos del segundo nivel; claro está, si está iniciado en el segundo nivel, utilice el símbolo de la curación a distancia, e imagine esas partes de su cuerpo que quiere sanar en sus propias manos y el resultado será fantástico. Por un lado la fuerza y el poder del símbolo sagrado, y por otro lado el poder de su cerebro. Si a todo esto le une una oración convencido de que Dios, el Universo, sus maestros, guías espirituales, sus ángeles protectores le están ayudando, la sanación será magnífica.

Podemos realizar a través de la parte superior de los pies un tratamiento muy relajante y efectivo. La toma de tierra de todos los chakras y las regiones corporales, así como los dolores de cabeza, excelente para las personas muy sensibles.

Reiki aplicado a los animales

Como ya sabemos, el reiki es la energía del Universo, y quien está iniciado la canaliza y la distribuye por sus manos. Pues bien, a los animales les podemos dar reiki, que además les gusta mucho, sobre todo a los gatos, perros, caballos, gallinas, pollos, etcétera.

El reiki se puede aplicar con toda naturalidad a estos y a otros animales, ya que les gusta que se lo hagamos con cariño.

Si el animal en cuestión es bravo y nos puede embestir, como el caso del toro bravo por ejemplo, lo podemos hacer con el segundo nivel reiki, haciendo los símbolos sagrados a distancia; los resultados serán beneficiosos. A los gatos concretamente les gusta que les hagamos reiki, ya que lo piden en cuanto lo experimentan, lo mismo que los perros y otros animales.

Reiki a los alimentos

Si hacemos reiki a los alimentos que hemos de comer, tendrán mejor sabor y sus cualidades beneficiosas aumentarán, neutralizando la radiactividad, así como las sustancias que contengan contaminantes; además cuesta poco esfuerzo hacer el reiki a los alimentos que vamos a ingerir y los beneficios son suntuosos.

Reiki a las plantas

Si damos reiki a las plantas, veremos cómo en ciertas ocasiones algunas que no daban capullos brotarán; lo mismo sucederá si hacemos reiki a ciertas plantas e incluso a los árboles: crecerán más rectos y saldrán mejor sus semillas o plantas. Como un árbol, por ejemplo, tiene las raíces muy profundas, podremos enviarle reiki a las raíces, al tronco, a las semillas que luego se van a plantar. En el caso de las semillas las tomaremos con nuestras manos y les daremos reiki; de cinco a diez minutos es suficiente.

Reiki a situaciones pasadas, presentes y futuras

Cuando estemos iniciados en los dos primeros niveles de reiki, podremos enviar reiki a situaciones pasadas que nos hayan dejado mal sabor de boca, a la muerte de un ser querido, a un accidente que hayamos tenido, a una pesadilla; como en el subconsciente guardamos todos nuestros recuerdos del pasado, en él quedan las imágenes como queda todo archivado en un ordenador, será muy beneficioso que hagamos los símbolos a momentos del pasado, tanto si han sido positivos como si fueron negativos.

Si por ejemplo tenemos una entrevista de trabajo y no estamos muy seguros de cómo vamos a reaccionar, es muy importante que enviemos reiki para dicha circunstancia, para que haya armonía en la entrevista a fin de conseguir ese puesto de trabajo, etcétera.

A situaciones futuras que queramos realizar y llevar a cabo proyectos de envergadura, o incluso a cosas sencillas, si lo hacemos veremos resultados sorprendentes en el trayecto de nuestras vidas. Lo que antes no conseguíamos, ahora con más facilidad podemos desarrollarnos como personas.

Reiki para evitar accidentes, por ejemplo

Si en alguna ocasión tenemos por ejemplo un accidente, veremos que a lo mejor podía haber sido grave y si estamos iniciados en el reiki, quedará solamente en un susto. Esto es debido a la capa protectora de la energía del Universo a quienes estamos metidos en este tinglado de la sanación y autosanación. Nos ocurrirán cosas sensacionales si somos practicantes del reiki.

Experiencias de mis discípulos y pacientes, explicadas por ellos mismos

Como podrá el lector comprobar, algunas personas relatan cómo se iniciaron, sin dar ni explicar su identidad, cosa ésta que respeto con dignidad, para no herir sus sentimientos y sensibilidad.

Querido profesor Mércury:

Después de haber estado dando tumbos tanto en lo sentimental como en lo espiritual y en lo sexual, debido a una relación tormentosa con una mujer atormentada, mi confianza hacia el sexo opuesto para encontrar el amor verdadero era mínima, prácticamente nula. Tuve un par de relaciones más pero efímeras; entonces telefoneé a mi amigo el profesor Mércury y me habló del reiki.

No se me olvidará nunca.

El segundo día de cursillo apenas había dormido tres horas y me encontraba con mucha energía; mi mente, mi corazón y mi espíritu se habían abierto y, ¡zas!, aquel día entró en mi corazón la que es el amor de mi vida: Sonia. A partir de ahí el cortejo fue de los más natural, y hace año y medio que llevamos una relación muy rica tanto emocional como espiritual y sexualmente.

Tanto ella como yo habíamos renunciado prácticamente a tener una relación tan maravillosa y sin el reiki no nos hubiéramos conocido lo suficiente como para enamorarnos para siempre.

El reiki me ha aportado bienestar emocional y físico. Llevo tiempo sin practicarlo y noto su falta, así que habrá que llamar a nuestro querido profesor para hacer el segundo curso, que será aún mejor, cuando nos sea a todos posible para que no se lo pierda nadie.

Gracias, profesor.

Edu Loyola y Sonia,
iniciados en primer nivel de reiki.

Me inicié en reiki el día 13 de enero de 1996, y en el segundo nivel el 12 de febrero del mismo año. Doy gracias a Dios y al Universo por el bien que he notado en mí con este sistema de sanación. Soy como el «Ave Fénix», que he resurgido de las cenizas. Antes de conocer el reiki, me encontraba perdida, en un abismo; ahora he de decir que me encuentro más comunicativa, pido mis derechos. La verdad es que no estoy siempre bien, pero tengo momentos maravillosos. Sería hermoso que todo el mundo se iniciara en reiki, para poder mejorar a la humanidad. Como final, quiero agradecer a todos los maestros de reiki el conocimiento que han transmitido a todo el mundo, asimismo al profesor Mércury por sus enseñanzas y humanidad.

Fidela Leal Rojo,
iniciada en primero y segundo nivel.

Para mí el reiki ha supuesto algo muy significante; por un lado, el desbloqueo que el profesor Mércury llevó a cabo en mis iniciaciones, y posteriormente lo importante que es practicar el reiki para uno mismo y para los demás.

Ha sido muy positivo en todos los aspectos; por ello considero que las personas pueden confiar plenamente en los poderes de esta técnica tan humana y necesaria. Para finalizar, yo diría que el reiki es amor, por eso yo amo al reiki.

Muchas gracias, Mércury, y que sigas haciendo muchos discípulos en todos los lugares de la tierra.

José Antonio Plaza Rincón,
psicoterapeuta-antropólogo,
iniciado en primer nivel de reiki.

Profesor Mércury:

El curso de reiki me ha servido de mucho, pienso emplearlo, lo practico en mí sobre todo. Me encantaría seguir tu línea, pero por ahora no puede ser. Los días sucesivos al curso me pasaron cosas mágicas y mi ser mejoró física y psíquicamente, tuve cambios muy bonitos e impresionantes que atribuyo a tu saber y tu energía.

Gracias por el curso.

A.T.V.,
iniciada en el primer nivel de reiki.

Profesor Mércury:

No sé con qué palabras agradecerle todo lo que está haciendo por mí. Es muy difícil darle las gracias a una persona que te hace poco a poco ver la luz, recuperar esperanzas, ilusiones.

Creo que voy a salir de esta depresión gracias al calor de tus manos y a la confianza que tengo en ti.

He pasado el peor año de mi vida, tengo miedo a relacionarme con las personas porque han jugado con mis sentimientos, me han maltratado y me han mentido habitualmente. Sé que tengo que aprender a ser más fuerte y, gracias a ti y porque «yo quiero», lo conseguiré.

Madrid, 12 de junio de 1996. Sara.

La primera experiencia fuerte que tuve con el reiki fue después de mi sanación. Me encontraba muy feliz, relajada y en armonía, nunca antes me había sentido igual. Era una sensación envolvente, diría que protectora.

En ese momento aprendí que cuando estás llena de amor, eres incapaz de experimentar ningún otro sentimiento negativo, sólo se puede transmitir lo que se siente.

Después de la primera iniciación, empecé a probar reiki con todo lo que se pusiera en mi camino. Al encontrarme con uno de mis gatos pequeños que ese día tenía vómitos, le impuse rápidamente las manos. El gatito al principio no quería, pues es un poco arisco; después de un rato se tranquilizó y se quedó debajo hasta que dejó de vomitar. Aparte de eso, desde ese día, se ha hecho muy amigo mío el animal; yo me quedé maravillada.

A partir de ahí, dentro de mí estalló una evolución. No sé cómo explicarlo. El haber encontrado algo tan valioso supone una de las mejores experiencias que me han ocurrido hasta ahora. Después de esto, ha cambiado mi actitud hacia los demás positivamente. Me encuentro más paciente y me comunico más y mejor con los seres humanos. Las sensaciones que se experimentan a veces de soledad o falta de protección frente al mundo, desaparecen. Tengo tendencia a probar con los símbolos para pedir diferentes cosas, estoy en fase de prueba. Ya he hecho varias sanaciones a mis hijas, tengo dos, a mi marido y a mi mamá, y doy gracias a Dios por haberme concedido este regalo. A medida que utilizo los símbolos, los voy comprendiendo mejor; esto me ha resultado curioso.

El símbolo del poder, después de varios días de práctica, empezó a despedir calor según lo iba trazando. Es una sensación muy agradable.

Obdulia Valverde López, iniciada en primero y segundo nivel de reiki con el profesor Mércury.

Tras iniciarme en el primero y segundo nivel de reiki durante el mes de octubre de 1996 con el profesor Mércury, se abrió para mí un mundo maravilloso que jamás habría podido soñar e imaginar.

Lo primero que empiezas a notar es que tu vida cambia día a día de una forma positiva. En primer lugar, al hacerme yo autosanación, aparte de no tener dolencias, hay otra cosa importante que es la siguiente: cuando hago el amor con mi mujer, he comprobado satisfactoriamente que, cuando llega el momento del placer, éste me dura un cincuenta por ciento más que antes de iniciarme en reiki; por ello me quedo más tiempo en la cama sintiendo el amor con mucha pasión. Igualmente he comprobado que cuando tengo que comprar cualquier cosa, siempre que hago los símbolos del reiki y pronuncio sus nombres todo me sale bien. Disfruto enormemente dando reiki a mis familiares y amigos y siento que mi vida va cambiando con un alegría fantástica. Realmente es sensacional la técnica reiki, que la recomiendo a todo el mundo.

Manuel Valverde,
iniciado en primero y segundo nivel.

Reiki para mí es una palabra simplemente, lo que encierra esa palabra es un mundo de sensaciones que quizá nos preocupemos durante todos los años de nuestra vida en olvidar, en enterrar, como quien entierra a un ser querido y, para olvidar lo feliz que fue cuando estaba y que esto no le produzca dolor, se convence de que nunca existió. El reiki nos hace recuperar esas sensaciones, nos saca las causas de nuestras heridas de vida dándonos la libertad que nunca debimos perder, «las de sanarnos a nosotros mismos», porque ésta es la primera enseñanza de esta ciencia que utilizaba Cristo.

Y lo primero que hice cuando me inició mi gran amigo, maestro y ser extraordinario, fue sanarme a mí misma. La experiencia es fantástica y se la recomiendo a todo el mundo, porque te das cuenta que para querer antes te tienes que querer y haciéndolo te das cuenta de lo poco que te has querido. La sanación la vas notando todos los días y a todas las horas, no os preocupéis si cambiáis de hábitos, de costumbres e incluso de las personas que os rodean; todo es posible en esta etapa de cambios. El resultado es un ser más completo y decidido a dar sin miedo todo lo que se esconde en su interior.

Por otro lado, se siente un inmenso deseo de dar y sobre todo de transmitir esa joya que es nuestra energía y nos encontramos deseosos de poner nuestras manos a todo el mundo; cuidado, es mejor hacerlo cuando nos lo piden.

Pero disfrutar de este conocimiento y de la apertura al amor es muy importante.

Gracias, querido maestro Mércury, por haber sido eso, un gran amigo y maestro. Con todo mi corazón.

Carmen Moya Fernández,
iniciada en primer nivel reiki.

El iniciarme en reiki, para mí, fue algo inesperado. Yo soy curandera y no era capaz de curarme a mí misma; siempre estaba cansada cuando daba masajes, después necesitaba descansar, de lo agotada que me quedaba. Ahora, tras la iniciación en el reiki, soy capaz de trabajar más horas sin cansarme, y si acaso me fatigo, entonces me doy reiki a mí misma y de nuevo me siento vital y relajada; es algo magnífico. Gracias reiki, gracias maestro.

A.M.T.

Realmente esto del reiki no sabía ni que existía, y la verdad es que me ha dejado alucinada la fuerza que he adquirido en mis manos. Creía que iba a ser muy difícil para mí y sin embargo ahora soy capaz de autosanarme yo misma; esto es como una magia que está en el firmamento y baja cuando la necesitas. Sensacional esto del reiki.

Gracias al maestro Mikao Usui, y gracias a ti, Mércury, por enseñarme este arte de la curación por imposición de las manos.

Ahora, cuando un enfermo necesite mis manos, se las brindaré y seguro que le ayudarán a vivir mejor y más sano.

H.E.R.,
(enfermera).

Profesor Mércury, esto es como una magia; que mis manos despidan calor y pueda ayudar a otras personas en sus dolencias, con sólo ponerle las manos, me parece fabuloso. Había oído hablar del reiki, y creía que era muy difícil practicarlo. Bien, ahora diré que es una técnica muy sencilla y animo a todas las personas a que se inicien en reiki. Doy las gracias a Dios del Universo por haberme llevado hasta el reiki, y sobre todo a mis compañeros de reiki por todo lo que he aprendido de ellos y a ti, profesor, por el cariño que has puesto en enseñarme.

E. R. M.,
(industrial).

Me llamo Toñy y estoy iniciada en el primer nivel de reiki con el profesor Mércury. Cuando acudí a que me iniciara, tenía una remota idea de lo que era esta técnica. Cuando me hizo la primera sanación y me pregunto qué quería sanar le dije: la cabeza.

Estaba obsesionada con un problema en el trabajo. Cuando el profesor Mércury me dijo si sabía en qué lugar de mi cuerpo sentía el citado problema, no supe responder, pero él con mano maestra fue indagando con su manos y descubrió que se situaba en el vientre. Pues bien, me hizo otra sanación, me inició en el primer nivel, me marché a mi casa y los dos días primeros estuve yendo al baño en varias ocasiones. Hacía muchísimo tiempo que no iba tan bien del vientre. Realmente el reiki es algo mágico. Ahora estoy más relajada, tranquila, y veo la vida con mucho más optimismo.

Gracias, profesor Mércury; gracias, reiki.

Toñy,
(secretaria de dirección).

Desde hace unos años acuden a mi consulta de terapeuta personas con diferentes patologías. En alguna ocasión al observar el sufrimiento causado por el dolor de algún cliente/a de una manera instintiva he colocado mis manos con el deseo de curar, el resultado era que la persona mejoraba.

María, una paciente de sesenta y cinco años, acudía cada mes a mi casa para sentir durante cuarenta y cinco minutos la energía de mis manos; su enfermedad, la artritis reumatoide que cursa con mucho dolor, consiguió mejorar de una forma espectacular. Un día me dejó la foto de su amiga Julia, de setenta años, diagnosticada de cáncer de huesos; la foto la pasé por encima de un altar que tengo en mi despacho, pero lo cierto es que me sentí muy triste, porque sabía que la mujer iba a morir.

Tres semanas después María se llevó la foto, algo pesimista porque Julia no se conseguía curar. Pocas horas después la señora murió... Aprendí que con la sanación se puede ayudar a morir.

Somos un canal de energía, a veces un pensamiento es capaz de conseguir lo inimaginable; debemos aprender a utilizar el poder de la mente.

Como deseaba tener más conocimiento sobre estos temas, acudí en Madrid a un seminario de reiki; me acompañó Juan, un gran acupuntor, algo escéptico, que se apuntó al curso tal vez por curiosidad, al igual que lo hice yo.

Aquella experiencia fue maravillosa; mi maestro empezó a hablar de guías espirituales, esos seres de luz que están a nuestro lado esperando a que les llamemos para acercarse. Todo lo que decía parecía un bello cuento; el poder de los símbolos, la reencarnación, curación a distancia: el poder sana nuestros traumas mandando energía al pasado, energía al futuro, al planeta, ayuda en las guerras. ¡Era fantástico!

La vida de repente parecía tener sentido.

Pero lo más sorprendente sucedió durante las iniciaciones; éramos en total unas ocho personas. El maestro apagó la luz, música subliminal, incienso... Empecé a sentir calor, mucho calor, mis manos ardían, a mi alrededor me pareció ver un arcángel.

Una vez acabada la iniciación, el maestro comentó que había sido una espectacular experiencia, ya que grandes maestros espirituales habían estado presentes: Jesús, Buda, Shiva, Usuis, Takata...

Sinceramente, comencé a pensar: demasiado bonito para ser cierto, este hombre tiene alucinaciones. Él siguió hablando y dijo: «Entre nosotros hemos tenido un arcángel que se ha encargado de iniciar a Ana María.» ¡Fantástico!, yo había presentido un arcángel y el maestro lo confirmaba.

La experiencia de Juan me sorprendió aún más. Él había visto una entidad detrás de sí. Esto sí que era alucinante, una persona rígida y fría que admitía la existencia de los guías.

Los meses siguientes utilicé la energía reiki y los símbolos en mi consulta con éxito; he aprendido a dar energía sin cansarme, porque utilizo la energía universal; antes esto no sucedía porque a través de mis manos daba mi propia energía. He aprendido a ser un canal de forma correcta.

Mi amigo empezó a tener experiencias fuertes, a sentir energía; su proceso de limpieza le haría sentirse culpable de algunos temas.

En el mes de noviembre, repetimos reiki segundo nivel. Esta reiniciación fue todavía más fuerte.

Un arcángel y Takata se encargaron de hacerlo; mi maestro estaba lejos iniciando a otra persona del grupo pero yo notaba presencias que acariciaban mi cuerpo, empecé a llorar, sentí un calor tan abrumador, que me bajó la presión arterial, empecé a marearme. Primero me iniciaron los guías, después mi maestro. Cuando encendieron la luz de la sala, salí corriendo pues me encontraba muy mal; Juan salió detrás de mí, yo tan sólo conseguía articular: «Por favor, no me hables.» Así estuve unos cincuenta minutos entre mareada y ahogada, hasta que al final conseguí vomitar varias veces y me quedé en paz.

Juan admitió que había sentido una presencia que le tocaba la pierna; desde ese día nuestra amistad se ha ido desvaneciendo. Él ha dejado el reiki, las experiencias eran fuertes para un hombre que está acostumbrado al autocontrol.

El reiki en ocasiones aleja de nuestras vidas a personas que no son positivas para el crecimiento interior. Personalmente utilizo el reiki y los símbolos, me encuentro más sexual, segura, intuitiva y llena de amor, más que nunca.

Bendigo cada mañana el nuevo día, doy gracias a Dios por todo lo que poseo: mi hija, mi familia, amigos, mi casa, el perro... Son tantas cosas por las que debemos dar gracias a la vida, por permitirnos ser felices... Sin olvidarme de mis guías, que siempre están conmigo.

El arte de la sanación está al alcance de todos, a través del reiki puedes conseguir ser un maravilloso canal de energía, amor.

Ana María Alcoy,
(iniciada en primero y segundo nivel de reiki, doctora en medicina alternativa, sexóloga).

La muerte de mi padre

Había realizado el segundo nivel de reiki. Un día, estando en mi casa de Madrid, recibí una llamada de mi hermana política Ana; en ella me decía por teléfono que, si quería ver vivo a mi padre, debía apresurarme y tomar el primer avión a Pamplona. Eso hice, y el día 27 de marzo salí urgentemente hacia el hospital de Pamplona en el primer avión. Allí estaba toda mi familia en torno al lecho del dolor; mi padre al verme me sonrió, todavía estaba vivo, pero las esperanzas de los médicos eran nulas. No obstante, yo pensé que como tenía los tres símbolos podría al menos aliviar su dolor y hacer que muriera tranquilo y en paz. Estaba con suero, de cuando en cuando le ponían oxígeno para que pudiera respirar mejor. Al verme se emocionó y comenzó a llorar, cosa que solía hacer habitualmente cuando iba a Olite a verle y pasar unos días en familia. Comencé a hablarle y él no podía ya ni oír, por ello yo le escribía cuando quería transmitirle mis mensajes; comencé una sesión de reiki, los símbolos en el pecho, corazón y la cabeza; él estaba muy nervioso y a cada momento llamaba a los médicos para que le inyectaran. De siempre le habían gustado las pastillas e inyecciones.

Dieciocho años se pasó enfermo de bronquios, es decir asmático. Ángel, uno de mis hermanos, se había pasado la noche anterior en vela cuidándolo, cosa ésta que a mí no se me había comunicado; mi otro hermano, Francisco Javier, quería quedarse acompañándome a mí en esa última noche, pero, cosa curiosa, el corazón de mi padre, que latía rápido, cuando le dábamos masajes y reiki se relajaba y calmaba; no obstante, seguía solicitando la asistencia médica para que le siguieran inyectando algo o ponerle el oxígeno. A mi hermano le dije que se podía ir tranquilo a casa, que esa noche quería quedarme yo con él; al verlo más tranquilo, toda la familia me dejó a solas con mi padre. Una de las veces que se puso de nuevo nervioso le escribí en un papel: «Padre, si no te relajas te vas a morir», y se echó a reír. El cura le había dado la extremaunción momentos antes. Le daban cosas para que tomara líquidamente y una de las veces le vi que no tomaba más líquido y que estaba totalmente calmado; pensé que el reiki le había dado esa paz, y allá a las dos de la madrugada, al verlo tan tranquilo, decidí recostarme a su lado en una butaca, quedé adormilado y por la mañana oí a una persona que le traía el desayuno, al poco tiempo entró la ATS y dijo: «Este hombre está muerto.» Yo quedé anonadado y no me salían ni las lágrimas. Le miré a mi padre y estaba como un santo, relajado, como un pajarito; se había quedado en la postura de un santo. Estoy seguro que el reiki, aunque no le devolvió la vida, le dio esa paz que transmite la energía cósmica a través de las manos del terapeuta. Al rato reaccioné y comencé a llorar. Hubo una hermana de mi padre, Ángeles, que criticó mi sanación diciendo que se había muerto por haberle hecho magia, y concretamente a mi padre lo habían subido al Hospital de Navarra ya moribundo, sin ninguna esperanza de vida; en fin, perdono a esta tía mía que con cariño dijo esas palabras. Sé por propio conocimiento que el reiki hizo el milagro de que mi padre muriera con una tranquilidad y sosiego magníficos. Además algo que siempre le preocupaba era que le pudieran enterrar vivo, cosa que le aterraba.

El agradecimiento

Nada hay que más le cueste al ser humano, en mi opinión claro, que agradecer. En eso los animales, como el perro, son más agradecidos: mueve la cola, se mueve, te quiere hablar con su cuerpo. Me voy a explicar: a través de mis muchos años observándome, observando a los demás seres humanos, he comprobado que estamos más dispuestos a criticar lo que no nos gusta que a dar muestras de cariño por medio de una palabra bien corta, y que puede hacer milagros en nuestras relaciones; la palabra mágica es **gracias.** Así de sencillo, así de fácil y gentil es esta palabra. Ya Cristo, cuando dio la luz a varios ciegos y solamente uno se volvió para darle las gracias, dijo: ¿Dónde están las demás personas que no vienen? Considero que hay que ser agradecidos, que hemos de expresar nuestros sentimientos, y cuando agradecemos lo que hacen con nosotros, estamos dando las gracias al Universo entero. Así que agradezcamos cuando nos hagan una sanación, al maestro que nos enseña las técnicas de reiki, por esa maravillosa manera de poder curar y autocurar a nuestros semejantes. En su libro *Hacia un éxito ilimitado,* Og Mandino nos enseña una nueva forma de dar las gracias y es la siguiente: según Og Mandino, existió un señor llamado Edward L. Kramer, presidente de Sterling Manufacturing de San Luis, Missouri, que cada día enviaba al menos dos notas de agradecimiento a las personas que habían hecho algo por él; a esto lo denominó «graciagramas». Por propia experiencia, diré que desde el día 14 de noviembre de 1979 las llevo mandando a clientes, personas de mi familia, amigos, etcétera. Y me dan un magnífico resultado. Ánimo y demos las gracias con cariño; podemos crear un mundo más sano, humano y por tanto más feliz, si agradecemos con fuerza todo cuanto creamos necesario agradecer. Podemos empezar por las personas que más confianza tengamos, escribiéndoles una nota de nuestro puño y letra, con la frase que consideremos más idónea para demostrar nuestro agradecimiento; agradezcamos las cosas que hagan por nosotros; nos ocurrirán cosas maravillosas, esto también es bueno para estar más sanos.

Tienes en tus propias manos la fuerza para curar y curarte

Efectivamente, con algo tan sencillo, tan cercano a nosotros como son las manos, podrá conseguir infinidad de resultados satisfactorios mediante la colocación de sus manos en diferentes partes de su cuerpo. Si lo piensa un poco, si necesita medicinas, tiene que ir a una farmacia; si necesita que le pongan una inyección, necesariamente se la ha de poner una persona especializada en el tema. En cambio, para la curación por medio del reiki, no necesitamos de nada que no sean nuestras propias manos; esto por supuesto se refiere a la autosanación que podremos hacernos cuando hayamos recibido la iniciación de la propia técnica. Se suele decir que las manos van al pan, al trigo, etcétera. Fijémonos si tenemos algo importante de nuestra propiedad, como son las manos. Recordemos lo que hace un niño cuando tiene un dolor: lo primero de todo es ponerse a llorar, e inmediatamente se coloca sus manos en la parte dolorida para sin saberlo hacerse un reiki, cosa que se puede hacer aunque no se tenga la iniciación.

No es la panacea de la vida, pero ayuda a vivir más sano

Todavía no conozco nada en este mundo que pueda llenar todos los espacios de un ser humano, pero eso sí, según mi opinión, el reiki nos puede ayudar a vivir una vida más plena, más sentimental, más armoniosa, y de alguna manera puede contribuir a que vivamos con más serenidad y entusiasmo. A fin de cuentas, después de haber nacido creo conveniente intentar ser lo más feliz posible, una vez que nos han parido, si somos capaces de disfrutar de lo bello de este mundo, como es una salida del Sol, una Luna nueva, incluso la Luna llena que a veces, aunque dé algún problema, es bello el resplandor en una noche de Luna llena, sobre todo si estamos acompañados de la persona que amamos; en esas circunstancias la vida se ve de una manera diferente. Si pueden tener la experiencia de compartir ese magnífico momento con la persona que aman, la sanación se produce de forma milagrosa. Si los milagros existen, ya que el hombre es a imagen y semejanza de Dios, de alguna manera, si somos más sanos y felices, estamos contribuyendo a crear un mundo en armonía, y de alguna manera es muy posible que Dios desde el cielo se ponga contento y nos ayude con más facilidad a crear un mundo más amoroso, sentimental, feliz y lleno de ilusiones. ¿Han pensado la importancia que tiene el tener en este mundo ilusiones? Pues el que suscribe las tiene y cada vez más; gracias a ello vivo intensamente, y cada día me ilusiono por cosas para vivir más en armonía, sentir en toda plenitud la vida. Y a fin de cuentas, ser cada vez más feliz y estar contento con lo que se hace. Ánimo, que la vida es bella y cada uno ha de vivir la suya, nadie puede pensar por nosotros, nadie puede vivir la vida que uno ha de vivir, sino uno mismo.

El proceso de sanación y sus resultados

Todo en este mundo necesita un tiempo especialmente en el tema de la sanación. En ocasiones el proceso puede parecer lento, pero no es así. Cuando hacemos una sanación, es muy posible que la persona, al igualarle el aura, logre desbloquear sus chakras, se pueda sentir un poco rara, especialmente en la tercera sesión; pues bien, éste es un motivo bueno para ver que la persona está recibiendo una energía positiva, y también nos indica que la sanación lleva su camino; únicamente hay que tener en cuenta que para que una persona se sane tiene un proceso que en ocasiones el ser humano se empeora en vez de curarse. Hay que tener paciencia en todas las cosas de la vida y en este caso todavía es más conveniente que la persona en cuestión tenga fe, esperanza, paciencia y entusiasmo para poder conseguir resultados maravillosos. Así que si alguien recibe las energías telúricas de reiki, será muy importante que viva con ilusión la vida y, a pesar de que en ocasiones crea que no se va a sanar, tenga la voluntad para recibir esa energía que, aunque misteriosa, siempre será positiva y nos beneficiará.

Los miedos que acarreamos desde niños

Cuando nace un niño, nace sin ningún tipo de experiencia, por tanto no posee ningún miedo; de manera que va creciendo y sus padres le van educando así como las personas que van tomando contacto con él están creando una personalidad que a lo largo de su vida creará en él una forma de ser decidida o llena de miedos. El miedo no existe, somos nosotros los que lo creamos. Por tanto hemos de tener cuidado, ser valientes, generosos en disfrutar de lo mejor que hay en esta vida, que, aunque se comenta tanto que cada persona tiene su futuro en las estrellas, lo cierto es que son nuestros pensamientos y acciones, aparte de la influencia del medio, los que crean nuestro futuro.

Para poder ser cada vez más feliz, considero importante que nuestros pensamientos sean cada día más positivos, que vivamos con alegría el caminar por este mundo y sobre todo que seamos cada vez más felices, desarrollando nuestras cualidades al máximo, para que de esta forma, de la manera que vivimos la «Era de Acuario», vayamos creando un mundo lleno de amor, salud y optimismo, y cultivemos todas las cualidades que cada ser humano lleva en lo más profundo de su ser. El miedo, como todos sabemos, no es nada existente, pero claro, si vamos creando en nuestra mente algo inexistente, al final lo vamos a convertir en algo real, de ahí que conviene, para estar sanos, pensar siempre en cosas agradables, en la buena salud, en la importancia de cuidar nuestra salud.

Existen estudios muy curiosos que nos pueden sorprender sobre el comportamiento de los niños: según los investigadores de Baylor College of Medicine, hay estudios en los cuales en los peques o niños que no reciben las caricias necesarias, los que no juegan mucho, sus cerebros se desarrollan entre un veinte y un treinta por ciento menos que otros de la misma edad.

Importantísimo

Dado que la música dicen que amansa a las fieras, considero que es una labor humana y de gran importancia que a cada niño se le enseñe música, las siete notas musicales, que si lo pensamos bien son menos elementos que las veintinueve letras del abecedario, o los diez números de las matemáticas. Recuerdo que en cierta ocasión se hizo un estudio psicológico que fue el siguiente: se escogieron doscientos niños de las mismas edades, cien de ellos con conocimientos musicales y otros cien sin ellos. Pusieron de prueba lo mismo para los dos grupos; pues bien, quienes tenían conocimientos de música llevaron a cabo el examen, con gran diferencia de tiempo, mucho antes que los que no tenían conocimientos musicales y sacando mejores notas que los anteriores.

Cuando me dedicaba a enseñar música, me solían preguntar cuál era la edad idónea para que un niño comenzara a estudiar un instrumento; yo siempre les decía que en primer lugar era necesario conocer las notas musicales, el solfeo, como el bachiller para estudiar una carrera. Ahora animo y estimulo a los padres para que enseñen a sus hijos música, y a ser posible antes que enseñarles a hablar; sabido es que la música, entre otras cualidades, tiene la de que es un idioma internacional con el que podemos dar la vuelta al mundo.

De todos es sabido que hay una ciencia musical y artística que se llama *Musicoterapia* y que con ella se pueden curar algunas de las enfermedades de orden e índole psicológico. Para crear un mundo más sano, hemos de tener en cuenta que a los niños, si los preparamos y mentalizamos para que en su adolescencia estén bien de salud, cuanto más sepan de los beneficios que aporta la música mejor para ellos. El beneficio será para toda la humanidad; con amor, con alegría y con conocimiento de algo tan espiritual y artístico como es la música, mejor funcionarán las sociedades del mundo.

Cuidados que necesita un niño

A) Desarrollo físico.
B) Desarrollo afectivo.
C) Desarrollo intelectual.
D) Desarrollo social.

En el desarrollo físico del niño es muy importante la alimentación adecuada a su edad. Por un lado, también hemos de tener en cuenta que los ejercicios físicos le ayudarán a tener un desarrollo normal en todo su cuerpo, de ahí lo necesario de realizar algún ejercicio físico de acuerdo a su edad.

En lo referente al desarrollo afectivo será interesante que tengamos en cuenta la necesidad que tiene un niño de recibir afecto. Para que los niños se vayan acostumbrando a expresar su afecto, primero necesitan recibirlo por nuestra parte; de esta manera ellos se acostumbran a sentir en su propio cuerpo los afectos que nosotros les demos. Es una necesidad biológica la que tiene el bebé al nacer de que le toquemos, le hagamos sentir nuestro cuerpo con el suyo; en resumen, darle afectos al niño es de primordial importancia para que se desarrolle sano, alegre y dinámico.

El desarrollo intelectual, con los juegos, los entretenimientos con los números, las imágenes de los dibujos, por ejemplo, que se le pueden hacer ver a un niño, todo esto hará que su nivel intelectual vaya aumentando de manera paulatina. Lo mismo sucede si le vamos contando cuentos, historias; al niño hemos de hablarle de las cosas buenas que tiene la vida, como por ejemplo la familia; dentro de la familia, la madre, el padre, sus abuelos, hermanos si los tuviera, y lo mismo sus educadores.

En lo referente al desarrollo social, se le ha de ir educando poco a poco a que juegue con otros niños; pueden ser de su edad o, por el contrario, también pueden ser mayores. Darle una explicación de la importancia de que se vaya comunicando con otras personas, jugar con ellas, hablar, caminar, compartir algo que tenga él con mucho aprecio, para que de esta forma, cuando se vaya haciendo mayor, sepa vivir en comunidad, exprese ya desde muy corta edad sus sentimientos para que en un futuro sepa cuando necesite algo comunicarlo con decisión. Existen casos de niños que desde muy temprana edad se han comunicado con otros niños, esto les ha hecho muy sociables; igualmente, existen otros que por el entorno familiar se han visto incomunicados, bien por un nivel social del que sus padres se han sentido acomplejados, o por haber nacido en un lugar donde existían pocas personas para poder estar en contacto; de cualquier manera hemos de tener en cuenta que cuanto más amiguitos tenga el niño, más contento y desarrollado estará.

En la época que nos ha tocado vivir se han hecho estudios de fuentes fidedignas en las cuales podemos recoger lo siguiente: que el 60 por ciento de los niños de la población mundial se meten en su cuerpo una ración alimenticia de menos de 1.300 calorías por cada día, esto en los países más pobres de nuestra tierra.

Nuestro comportamiento con los niños

El niño es un ser que aspira todo cuanto ve, oye y observa. Como en un futuro este ser será mayor, es conveniente que lo tratemos con mucho cariño.

A lo largo de la historia el mundo de los niños ha tenido muchos cambios; como todo en la vida, aquí también por fortuna se ha evolucionado para bien. En la antigüedad al niño desobediente lo trataban a base de golpes y palos, para poder encauzar su vida. Hoy, salvo alguna excepción aislada, a los niños les damos juguetes para que jueguen más, una serie de derechos que anteriormente no se le concedían. Se han hecho estudios donde nos dejan ver la reacción de un niño que ha sido tratado con mucho cariño, que se le ha acariciado mucho, se le atendía con humanidad y después, cuando ha entrado en el mundo del estudio, en la escuela, el colegio, y posteriormente en la universidad, ha tenido un comportamiento positivo hacia el mundo que se le ha presentado. Por el contrario, los niños a los que no se les ha dado cariño, se les ha pegado y no se les ha estimulado, éstos han reaccionado de una manera violenta contra lo que se les asignaba a llevar a cabo en los centros de enseñanza. A quienes se les ha dicho por ejemplo que eran vagos, así han reaccionado en su comportamiento; me estoy refiriendo a su forma de actuar, no a sus calificaciones en las notas, etcétera. De manera contraria han reaccionado quienes han tenido un ambiente familiar alegre, cariñoso y con apoyo humano.

Meditemos esto por un instante y comprobaremos que muchas de las personas que se hallan en las cárceles, o lugares de desamparo, han sido tratadas con dureza y poco amor; de esta manera llegan después a robar, matar, y a cometer fechorías para de esta manera sentirse importantes, máxime si sus nombres salen en los medios de comunicación: prensa, radio, televisión...

Todos los niños poseen una imaginación, una creatividad y a su vez sentido de la investigación, que es muy importante que potenciemos esas cualidades en ellos y me atrevo a dar estos consejos a los padres, educadores y a todas las personas que de una manera u otra tengan que ver algo con el mundo de los niños:

1.º Anime y estimule a su hijo a que realice trabajos de creatividad, estimulando su voluntad y haciéndole ver que tiene capacidad para ello.
2.º Recordemos que el niño es el hombre del mañana.
3.º El niño necesita saber que nos interesamos por su mundo; por tanto, debemos interesarnos en los temas que tenga que hacer en el colegio, por ejemplo.

¿A qué edad puede iniciarse un niño en el reiki?

Como todo en la vida es relativo, aquí ocurre lo mismo. La edad, según mi opinión como maestro de reiki, es entre los siete y los ocho años; también dependerá del niño, ya que es muy posible que los padres, por ejemplo, quieran que el niño se inicie y quizá él no esté dispuesto; así que lo mejor será explicarle al niño cómo es el funcionamiento del reiki, asistiendo por ejemplo a una conferencia sobre el tema y que sea la persona la que decida si ha de iniciarse o no. El estímulo por ejemplo es bueno si le hacemos ver al niño que él puede quitarse un dolor de cabeza, de estómago, etc., con sus propias manos; esto es lo que le animará, creo yo, a poder tomar la determinación de iniciarse en el reiki.

Ojalá los padres se conciencien de la importancia del reiki y haya cada vez más niños que conozcan su técnica, a buen seguro que haremos un mundo mucho más armonioso y sano. Por cierto que a este niño le ayudaría también mucho en sus estudios, si toma la determinación de aprender la autosanación con el reiki. Hasta el día de hoy he iniciado a dos niñas de seis y nueve años, Laura y Carolina, y se encuentran muy contentas, incluso se llevan mejor entre ellas que son hermanas.

Acróstico del reiki

Rey de la energía universal fluyendo a través de las manos.
Eres por naturaleza sanador de lo divino y humano.
Interesas a todo el mundo que acude a ti con ánimo de sanación.
Kilos de energía que entran a través de los siete chakras de cada persona.
Imanas poderes que salen del Cosmos relajando y desbloqueando con fuerza y abriendo todos los chakras con amor.

Los siete chakras principales

Los chakras son partes psíquicas que se activan en cada momento de nuestras vidas y que gracias a ellos podemos seguir viviendo y disfrutando de las cosas bellas que la vida nos ofrece a lo largo de toda nuestra existencia en el largo caminar por la senda de la felicidad, que existe y hemos de pedir y visualizar para que pueda entrar en nuestras vidas; de esta manera crearemos un mundo con amor y armonía (todo esto se desarrollará si tenemos los chakras abiertos y no bloqueados). Nuestra energía, como bien sabemos, se transforma y recupera con el descanso y los pensamientos positivos; pues bien, esta energía va recorriendo los siete chakras principales, realizando diversos momentos o estados sobre la psique que llamamos humana; ya se sabe que existen muchos más, pero nosotros nos ceñiremos aquí a estos siete principales.

Si nos referimos a la ciencia, ésta lo expresa con los cambios químicos que producen las glándulas endocrinas; sabido es que estas glándulas no tienen conductos, eso sí se mezclan con sus secreciones y con las corrientes sanguíneas del cuerpo humano, llevándose esto a cabo de una manera directa e incluso instantánea.

1.er Chakra

Al primer chakra se le denomina «Muladhara». **Su color es el rojo**. La situación es justamente en la altura del cóccix, entre el ano y los genitales; si nos referimos al plano glandular, éste se corresponde con las cápsulas suprarrenales; físicamente, su control es el de las piernas, el intestino grueso, la vejiga, los huesos y los riñones.

Nota musical, do; planeta dominante, Marte, el dios de la guerra, planeta rojo, es el principio masculino, al contrario que Venus; día de la semana, lunes.

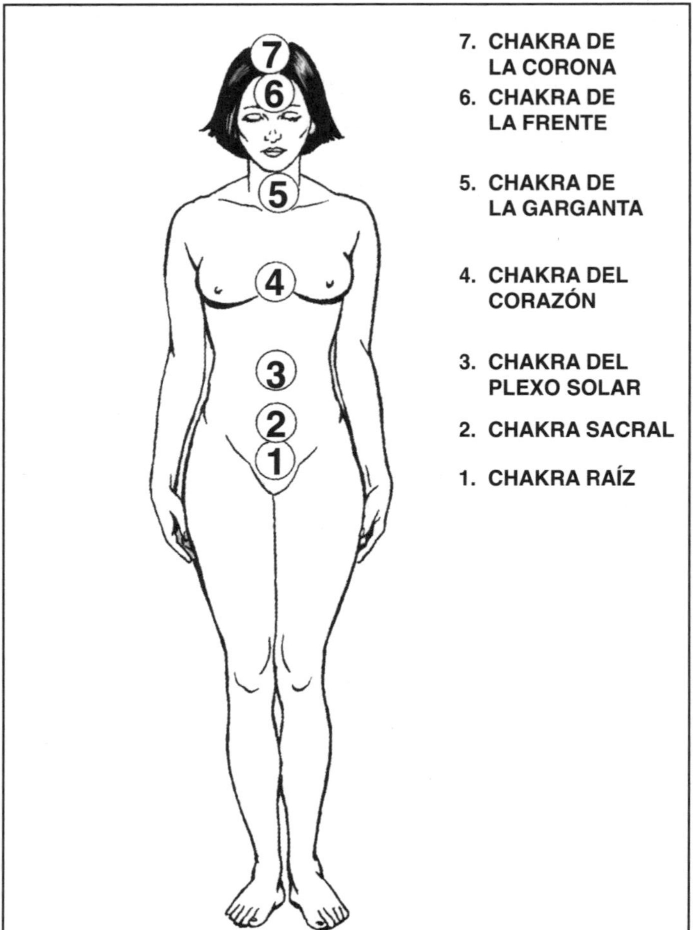

Los siete chakras principales.

2.º Chakra

Al segundo chakra se le denomina «Svadhisthana». **Su color es el naranja.** La situación está un poco más abajo del ombligo, justo en el nivel del sacro; si hablamos de las mujeres, en los ovarios de éstas. Es el chakra de la creación, las emociones. Dada la importancia que tiene el acto sexual, si la persona tiene esta parte bloqueada por ejemplo, lo pasará muy mal debido a su falta de armonía. Los testículos y los ovarios son las glándulas, orgánicamente es el aparato reproductor y sexual, motor importante en una relación amorosa, al igual que creativa, ya que se ha comprobado que la persona que es altamente sexual es muy creativa y emocionalmente muy expresiva, siempre y cuando tenga este chakra abierto y no bloqueado, como hemos comentado antes.

Nota musical, re; planeta dominante, Plutón, que mitológicamente es el dios del mundo subterráneo, fue descubierto por Percival Lowell, desde donde miraba al cielo para observar las estrellas y tenía su observatorio en Arizona; día de la semana, martes.

3.er Chakra

Al tercer chakra se le denomina «Manipura». **Su color es el amarillo.** La situación es encima del ombligo; para ser más exactos, en el plexo solar. Se le relaciona con todo cuanto tenga que ver con los sentimientos de la persona o ser humano, sobre todo con sus más primarios sentimientos; si sufre un impacto sentimental grande, esta zona recibe un estado anímico que dará la sensación de frío, contrayéndose esta zona tan sensible a la parte sentimental. En él se produce una sensación de fuerza y poder muy espectacular.

Nota musical, mi; planeta dominante, la Luna, que mitológicamente representa a la madre; día de la semana, miércoles.

4.º Chakra

Al cuarto chakra se le denomina «Anahata». **Su color es el verde.** La situación es en el corazón, un magnífico lugar donde, yo recomiendo y lo hago personalmente en ocasiones, es conveniente ponerse la mano antes de criticar a alguien, o dar una mala contestación, ya que todo cuanto sale del corazón es bueno; por ello conviene tener esta parte del cuerpo bien tratada. La glándula timo se halla en esta parte, y es bueno para quitar los miedos que tenemos arraigados. Pruebe a ponerse las manos con los dedos cerrados en esta zona de su cuerpo y verá qué sensación de alivio, de seguridad y bienestar le da el colocarse las manos en esta zona de su cuerpo, o si se la pone a otra persona.

Nota musical, fa; planeta dominante, el Sol, que mitológicamente es el dios solar, quien nos da la luz; día de la semana, jueves.

5.º Chakra

Al quinto chakra se le denomina «Visuddha». **Su color es un azul vibrante.** La situación para localizarlo es en la garganta. Pensemos lo importante de este lugar para todas las personas que necesitan comunicarse por medio de la palabra. En más de una ocasión se han evitado guerras, por llegar a un acuerdo de paz; por ello es tan interesante el tener este chakra abierto. Imaginemos a una persona que tiene, por ejemplo, un programa en una emisora de radio, o de televisión y que tuviese cerrado este lugar. Podemos pensar la importancia que este chakra tiene para un cantante, por ejemplo. La glándula que corresponde es la de la tiroides, así como los órganos aparte de la garganta, antes mencionada, son los pulmones, el esófago y el aparato respiratorio.

Nota musical, sol; planeta dominante, Mercurio, que mitológicamente representa al mensajero de los dioses, el dios de la elocuencia; día de la semana, viernes.

6.º Chakra

Al sexto chakra se le denomina «Ajana». **Su color es el plateado.** La situación es el centro del entrecejo, denominado tercer ojo. Una parte importante para despertar la intuición, el sexto sentido, la videncia, telepatía, un lugar para potenciar la espiritualidad del sujeto. Todos conocemos el famoso libro de Rampa, *El tercer ojo*. La persona que desarrolla esta parte del cuerpo recibe del Cosmos unos poderes paranormales que le dan un sentido de la premonición muy especial y desarrollado. La glándula que se corresponde con el chakra son los órganos de la médula espinal, ojo derecho, izquierdo, orejas, nariz, la hipófisis, así como lo relacionado con los nervios.

Nota musical, la; planetas dominantes, Júpiter y Neptuno. Júpiter, mitológicamente, es el padre de los cielos, es el de la abundancia y la prosperidad. Neptuno, mitológicamente, es el dios del mar, los sueños, la mediumnidad; el tercer ojo fue descubierto por Urbain Levenier el año 1846; día de la semana, sábado.

7.º Chakra

Al séptimo chakra se le denomina «Sahasrara». **Su color es el violeta.** La situación es la parte superior del cráneo. Este chakra recibe con ímpetu todas las energías del Universo. En ocasiones vemos a personas que han sido santificadas y se las presenta con la aureola encima de la cabeza; ello nos quiere dar a entender que la persona se ha superado a sí misma y ha pasado la barrera de lo humano para convertirse en santo. Su glándula es la llamada pineal, así como sus órganos se sitúan en parte por encima del cerebro; esto es, el ojo derecho y el sistema central nervioso. Magnífico chakra este último que hemos explicado.

Nota musical, si; planetas dominantes, Saturno y Urano. Saturno, mitológicamente, el padre, el anciano, se rela-

ciona con el tiempo; sin la función de este planeta existiría el caos y el desorden. Urano, mitológicamente, es el padre de Saturno, planeta de la libertad, las sorpresas y los cambios bruscos, fue descubierto por Sir William Hershel el día 13 de marzo de 1781 en Bath, Inglaterra; día de la semana, domingo.

La importancia de orar

En la oración nos ponemos en contacto con las fuerzas superiores del Universo. Para algunas personas esto es muy fácil, para otras les resulta muy difícil. De cualquier manera, hay que tener en cuenta que la oración, cuando se hace concentrada, tiene un poder de sanación maravilloso, mágico diría yo; esto es debido a la gran energía que se va creando en el espíritu de la persona. Problemas que en ocasiones no encontrábamos solución, con el poder de la oración hallamos una salida que será beneficiosa tanto como el tiempo que pasemos en hacer oración. En ocasiones en sueños, cuando dejamos a nuestra mente al libre albedrío, si tenemos un problema que nos causa impacto, al soñar y luego despertar, la mayoría de las veces, el problema desaparece, o aparece con la solución idónea. Lo mismo ocurre cuando estamos dirigiendo nuestra voluntad hacia Dios, Él nos ayuda si le pedimos con fuerza y fe todo cuanto necesitemos en ese momento; seguro que nos lo va a conceder, si le solicitamos con una fe desmedida y entusiasta. Para la sanación, hemos de tener en cuenta que este ejercicio nos beneficiará. ¿Cómo hemos de hacer la oración? En primer lugar, con ropa holgada, luz tenue, música clásica o de nueva era, podemos poner también incienso; lo más importante, los ojos cerrados, levantar nuestra alma al cielo y solicitar la ayuda del Ser Supremo, para que venga en nuestra ayuda. Si tenemos por ejemplo una enfermedad que nos causa preocupación, si estamos iniciados en reiki, es bueno que nos pongamos las manos; si no llegamos con ellas, si tenemos el segundo nivel, es conveniente que hagamos los símbolos. Esto es, a distancia, como si se lo hiciéramos a otra persona; comprobaremos que si lo hacemos todos los días al menos un par de veces, obtendremos una mejoría que irá acrecentándose cada vez más. La confianza en nosotros mismos también es necesaria, y recordemos que si nos ponemos peor, es una señal clara de que estamos mejorando. Esto ya lo expliqué en las sesiones de reiki: que cuando se llega a la tercera, es muy probable que la persona que recibe la sanación empeore. Pues ése es el camino que nos indica que estamos mejorando.

Los veintiún días de limpieza interior

Durante los veintiún días que dura la limpieza del cuerpo, mente y alma, pueden ocurrir cosas muy interesantes que hemos de tener en cuenta, una de ellas es la siguiente: el iniciado tendrá sueños que en ocasiones no había tenido, muchos de ellos estarán relacionados con los sentimientos que estaban guardados en lo más profundo de su ser. Esto es normal, ya que al ir desbloqueando el cuerpo, va reaccionando con soltura y expresando libremente cosas que antes no se atrevía a decir o llevar a cabo. Por otro lado, como se produce un cambio muy profundo en nuestro interior, por una parte se despertarán toda clase de sentimientos adormilados en el subconsciente, dando lugar a sensaciones espirituales maravillosas que jamás podría haber imaginado.

Los veintiún días que dure la limpieza de la persona en cuestión serán muy decisivos para su futuro reiki; por tanto, es muy importante que saque la voluntad de lo más profundo de su ser y conseguir un proceso de sanación a nivel corporal espiritual y mental fuera de serie. Hay que recordar que todos llevamos un niño dentro de nosotros y que muchas veces no somos capaces de sacarlo por miedos, apegos, sensación de ridículo y otras manifestaciones que durante nuestra niñez se han filtrado en nosotros, creando un poder tal que en muchas ocasiones hemos de echar mano a lo más profundo de nuestro ser y a veces pedir ayuda divina. En este proceso hemos de tener en cuenta lo que sigue.

Las iniciaciones

Han de pasar veintiún días como mínimo para la limpieza y llevar a cabo lo que sigue:

— Hay que beber mucha agua, yo recomiendo de diez a doce vasos diarios. Recordemos que el ser humano tiene un 75 por ciento de agua en el cuerpo, y que si nos falta un 5 por ciento nos dará sed y, más todavía, si es un 20 por ciento lo que nos falta nos puede llegar la muerte instantánea.

— No comer carne roja ni dulces, como el chocolate.
— Hacer afirmaciones positivas y escribirlas en un papel, podemos hacer la siguiente: yo soy a imagen y semejanza de Dios, por ello estoy libre de pecado, soy un ser humano que amo a todas las personas sin raza ni distinción, yo soy el amor en la tierra y cada momento de mi vida está marcado por el amor, soy una persona llena de prosperidad y mi vida camina por el lado de la abundancia, transmito mucha salud, alegría y bienestar a cada ser humano, soy libre y doy libertad a los demás.
— Sienta cómo cada emoción suya se está manifestando en su vida con decisión, a nivel mental, corporal y espiritual.
— Dé las gracias a Dios, si cree en su existencia; a los seres humanos de la tierra, a sus familiares, a los ángeles, arcángeles, a su ángel de la guarda y a los entes que usted crea que le ayudan.

Primer nivel

Cualquier persona que quiera recibir la iniciación de reiki está en condiciones de recibirla. No obstante, quiero recordar que cuando estamos poniendo las manos a alguien, ya estamos haciendo reiki; por lógica, una persona iniciada tiene más fuerza y poder que quien no haya recibido la iniciación propiamente dicha.

El primer nivel, o primer grado, se compone de cuatro sesiones; es muy importante preparar con cariño el cuerpo de quien se va a iniciar para que pueda recibir el máximo beneficio de este conocimiento tan fantástico como es la técnica reiki. En esto se tarda generalmente dos días, cuatro sesiones, y en cada una se invierten aproximadamente cuatro horas.

1.º Se hace un balance de los orígenes procedentes del reiki, redescubierto a mitad del siglo XIX por el doctor Mikao Usui, que se van transmitiendo de maestro a maestro por todo el mundo, ya que existen más de seis mil maestros repartidos por todo el mundo.

2.º Se enseña la posición de las manos en el cuerpo de la persona, algo que conviene aprender: por un lado, que estén los dedos de las dos manos unidos entre sí, para que la energía cósmica no se vaya por ningún lado; se explica la sanación individual, la sanación en grupo e igualmente la autosanación. Por una razón muy obvia, que me gusta repetir, me encanta el reiki, sobre todo por ser sanación y autosanación, es decir que cada uno de los discípulos iniciados puede curarse a sí mismo, y esto es fenomenal, magnífico.

3.º Comentamos las impresiones que a cada uno le ha causado el conocimiento y práctica del reiki. Les digo que inicien un ayuno, o mejor dicho un régimen de veintiún días; que se vayan observando los cambios que se realizan en cada uno de ellos después del conocimiento y práctica de este sistema de sanación. Si conectamos con nuestro niño interior, mejor que mejor. Para ello podemos hacer por la noche, al acostarnos, ejercicios de vivir cada día mejor, de sacar durante el día a pasear a nuestro querido niño, que en ocasiones no nos acordamos de él y está esperando que le mimemos y le acariciemos, como hacían nuestros padres cuando éramos niños.

Podrán ver, sentir y comprobar que desde la iniciación los sueños que tendrán muchos de ellos son y serán premonitorios; que la videncia, la intuición, así como muchas de las cualidades que tenían dormidas en su subsconciente, despertarán como por arte de magia y se sorprenderán de las cosas que les sucederán con las personas que tomen contacto con usted.

4.º En esta etapa, los alumnos dan y reciben la energía en los pases energéticos con todas sus posiciones, lo que los maestros llamamos reiki integral; este proceso puede durar alrededor de una hora. En el momento de iniciar al discípulo de reiki, a mí personalmente me apasiona el hacer un nuevo discípulo, es posible, porque en dos ocasiones quise ser sacerdote; la verdad es que es maravilloso poder transmitir a un ser humano el conocimiento, que en mi caso me han aportado los cuatro maestros que he tenido. Me gusta mucho la enseñanza, que para eso me he ganado la vida durante veinticinco años enseñando en Conservatorios de Música, y particularmente ese arte tan espiritual e internacional como es la música. Antiguamente, para poder iniciarse en el segundo nivel, se recomendaba que pasara un mes o dos entre el uno y el otro. Actualmente se ve bien el poder hacerlos los dos en un tiempo de dos a cuatro días, por ejemplo.

Resumen del primer nivel

1. Se abren las matrices del chakra corona, que está encima de la cabeza.
2. Glándula tiroides y el chakra de la garganta, excelente para la comunicación.
3. Se abre el tercer ojo y la glándula pituitaria, magnífico para la intuición.
4. Se desarrolla el yo superior.

Segundo nivel

En el segundo nivel de reiki estamos trabajando con dos fenómenos: por un lado el espacio y por otro el tiempo.

El espacio en el segundo nivel

Como en este nivel estamos practicando tres símbolos, que como ya hemos dicho en varias ocasiones son secretos, es decir, únicamente lo saben quienes se inician en este segundo nivel, el espacio es algo que se encuentra en cada sanación que realizamos a distancia, no importa el espacio que haya desde donde nos encontramos hasta el lugar que queremos enviar la sanación, pues el reiki por sí mismo atraviesa el espacio por mucha distancia que haya. Esto es muy importante tenerlo en cuenta, ya que el discípulo que se inicia en este nivel adquiere el poder para atravesar montañas, ríos, mares, nubes, en fin todo cuanto se interponga en el camino de esa sanación que queremos realizar, esto es lo mismo para hacer una sanación a los demás como a uno mismo.

El tiempo en el segundo nivel

Dado que el reiki es algo etéreo, una energía que traspasa todo, la madera, el hierro, la escayola, etc., en este caso el tiempo es tan rápido que podemos estar realizando una curación a distancia, por ejemplo a una persona que esté en Nueva York, y mucho más rápido de lo que podemos pensar pasa como por arte de magia. Por ello podemos enviar energía a países enteros, a un grupo de personas a la vez, a lugares, sitios, cosas, a momentos que queramos recordar del pasado, tanto si han sido vividos en positivo como si han sido vividos en negativo; por supuesto que, si queremos que tenga más poder y fuerza, lo realizaremos por ejemplo en grupo, es decir con personas que ya tienen el segundo nivel, de esta manera la energía es mucho más poderosa. La persona que se inicie en este nivel irá aumentando su imaginación, intuición, entusiasmo por la vida, aumentará el poder de su tercer ojo, verá con claridad situaciones que antes no había experimentado, el optimismo también jugará un papel muy importante en la vida de este ser humano. Claro que todo esto se consigue con la práctica, ya que si una persona se inicia en este segundo nivel y no lo practica, el reiki no se le irá de las manos, sino que para poder conseguir todo lo antes dicho ha de realizar sesiones de reiki, para sí mismo o para los demás. Siempre insisto en que para sanar a los demás primero hay que sanarse a sí mismo. Ánimo, si quiere entrar en este magnífico mundo de la sanación, comience a estudiar con el maestro que usted crea está en su sensibilidad, el que pueda aportarle más conocimiento según como es usted, y recuerde que con sus propias manos puede realizar maravillas en todas las épocas de su vida. No desaproveche las buenas oportunidades que la vida le ofrece para realizarse como persona. Si puede ser más feliz, tener más conocimiento y ayudarse a sí mismo y a los demás, ¿por qué se va a privar de ello?

Aquí se da la iniciación del segundo nivel de reiki al discípulo a través de los símbolos sagrados, para que pueda sanar a distancia. Se le hace de nuevo un desbloqueo, como ya se le hizo en el segundo nivel. Es importante que el discípulo esté de nuevo con sus siete chakras abiertos y desbloqueados para que, cuando haga una sanación, lo haga de la mejor manera posible.

Iniciación del segundo nivel

1.ª Iniciación

A. Se inicia a la persona enseñándole los símbolos que generalmente empleamos para poder llevar a cabo la sanación o curación, bien mental o ausente.
B. Se le pone en acción otro nivel de la energía, ponemos amplificada la vibración de su cuerpo etérico y físico, predominando más el primero.
C. Nuevamente se lleva un proceso de veintiún días de limpieza.
D. Realizamos el primer grado de las armonizaciones, elevamos aún más la energía del cuerpo físico y se lleva a cabo la canalización con intensidad de la energía sanadora del Cosmos. En el segundo grado

de armonizaciones, elevamos la canalización de la energía sanadora en el cuerpo etérico, desarrollando de esta manera en nivel intuitivo, situado en la glándula pituitaria. Aquí, al ser muy sensible, se reciben comunicaciones y vibraciones a nivel mental altamente elevadas.

2.ª Iniciación

A. Desarrollamos los Yo superiores.
B. Atendiendo a nuestra intuición, estamos caminando por el camino correcto, de esta manera nos unimos al fluido de todo el Universo.
C. Nuestros órganos se activan y se armoniza todo cuanto hacemos, de esta manera conseguimos que las cosas sean positivas.
D. El Yo superior se activa por medio de la voz de la intuición. Nos sentimos mejor y nos expresamos correctamente, con un sentimiento profundo de que caminamos por el buen sendero. Asimismo las cosas vienen a nosotros sin necesidad de obligarlas. Aumenta nuestra sabiduría y seguridad en nosotros mismos.

3.ª Iniciación (símbolos o llaves del poder)

A. Los símbolos representan los veintiún días que el doctor Mikao Usui estuvo en su estancia en la montaña sagrada, donde hizo meditación y ayuno.

B. Podemos enviar la energía del reiki a través del conocimiento y los símbolos a distancias muy largas; de esta manera ampliamos la sanación o curación emocional-mental.

   1. Esto es como un rayo de luz iluminando en todas las direcciones y lugares.
   2. Con los símbolos del reiki conseguimos su expresión, como si fuera un rayo láser hacia un punto de luz.
   3. Corre la energía con poder y decisión, sin necesidad de enviarla.
   4. Al hacer los símbolos el reikista crea una unión, entre el sanador y el paciente por medio de un puente.

C. Meter los símbolos dibujándolos y haciendo prácticas, hasta aprenderlos correctamente.

D. Llevar a cabo ejercicios con el maestro, enviando el reiki a donde queramos o hayamos decidido hacerlo.

4.ª Iniciación

Con los cristales y las plantas hacer meditación.

5.ª Iniciación

A. Practicar el reiki enviándolo a quienes creamos que lo necesitan. También podemos enviar al Universo animales, lugares, cosas, etcétera.

B. Enviar el reiki a momentos de nuestro pasado que hayan resultado negativos, a nuestras vidas anteriores, etcétera.
C. Lanzar el reiki para crear un futuro feliz, alegre, dinámico y exitoso.

Tercer nivel (la maestría)

Para llegar a este tercer nivel de reiki es muy importante que el reikista, como así se le llama al iniciado en esta técnica, haya practicado mucho reiki, sobre todo sobre su propio cuerpo, y también que tenga experiencia en practicar con otras personas. Todos podemos llegar a ser maestros, claro está que se necesitan algunos requisitos. Yo diría que el primero sería amar el reiki, al estar dispuestos a enseñar y poner en práctica los conocimientos adquiridos y transmitirlos a nuestros semejantes.

La fuerza que se adquiere al iniciarse en la maestría es muy superior a los otros dos niveles. Es muy interesante saberse capaz de llegar a maestro. Hemos de pensar que porque una persona tenga todos los niveles reiki, no por ello tiene la vida resuelta, ya que tendrá que seguir cada día estimulándose mental, física y espiritualmente; lo que sí es cierto es que se siente gran satisfacción al enseñar a otras personas a curarse a sí mismas. En mi caso, al tener la carrera superior de música y haber ejercido de enseñante durante veinticinco años que viví dando clases de música, guitarra, solfeo, etc., incluso llegando a dirigir una escuela de música. Para mí, la pedagogía la he llevado en las venas, creo que desde niño he sido comunicativo y me gustaba enseñar las cosas que sabía a quien creía que las necesitaba, tanto en la música como en otros aspectos de la vida; ser maestro significa para mí más compromiso con el reiki, canal de comunicación y mucha alegría y satisfacción al poder compartir los conocimientos adquiridos a lo largo del camino recorrido. Hay algo que quiero comunicar con respecto al tema que estamos tratando. En cada iniciación que he realizado como maestro me he dado de cuenta que al enseñar estoy aprendiendo, que cada persona que toma contacto conmigo tiene algo que enseñarme. Lo mismo que el mar se pone debajo de los ríos, y de esta manera recoge todo su efluvio, todo el manantial que baja hasta el mar. Quiere esto decir que si queremos ser más que los demás, primero hemos de colocarnos debajo, lo mismo que lo hace el mar al recibir el torrente de cada río, lagos y pantanos que le regalan el agua, ese líquido tan necesitado por el ser humano, los animales y las cosas.

El tercer nivel es también una iniciación profunda y una comunicación espiritual para que el futuro maestro sepa muchas cosas que le pueden suceder después de recibir la maestría. Pueden desaparecer personas de su mundo, es decir alguien que a lo mejor ese ser quiere mucho, pero que de alguna manera, al haberse elevado a otro nivel superior de conciencia, se dará cuenta que muchas personas se alejan de su entorno y aparecen otras que anteriormente ni las conocía. Hay una limpieza interior y desbloqueos que soñará cosas muy interesantes relacionadas por ejemplo con los sentimientos, la economía, el amor, la amistad, etc.

Realmente a mí me resultó maravilloso llegar a ser maestro, ya que era uno de mis objetivos desde que conocí el reiki.

Estado anímico después de una sesión

Es maravilloso ver a la persona después de haber recibido una sesión completa de reiki; por un lado la persona está totalmente relajada, por otro lado, podemos observar la alegría, el semblante sonriente que tiene después de la citada sanación. Me maravilla ver y sentir con agrado la expresión del rostro de la persona, con qué alegría mira, sus ojos son como dos cristales, donde podríamos ver hasta el mar. Realmente es fabuloso lo que podemos hacer con algo tan simple como las manos; claro está que en la energía del Cosmos está la fuerza y el poder divino de Dios, pero, amigos, es fantástico llevar a cabo una sesión de reiki, por lo generoso que es el cuerpo humano al recibir este regalo del Universo. He visto, en sesiones que he llevado a cabo de sanación, entrar una persona, hablar un rato con ella, tumbarla después en la camilla, comenzar la sanación y de tener unos latidos del corazón rápidos, en menos de quince minutos, pasar a un estado del corazón tranquilo, sereno, reposado; esto para mí es maravilloso, con todos los problemas que el ser humano lleva consigo, los que nos creamos por nosotros y por las personas que queremos, me emociona ver con cuánta energía sale la persona de la consulta, con qué ganas de vivir, de luchar, de seguir paso a paso todo lo que la vida le va dando. Esta sensación, aunque no hablo de lo que yo siento, que eso lo hablaré en otro momento, explico aquí cómo siento yo a esa persona, después de haberla visto nerviosa, intranquila, etcétera.

Me apasiona el reiki, supongo que los lectores lo irán sintiendo; creo que después de haber terminado la carrera de música superior, no había sentido en mi propia carne tanta emoción como cuando me hice maestro de esta técnica milenaria que por suerte ahora se está divulgando por todo el mundo con gran alegría. Yo afirmaría que «Cristo cuando curaba a tantos enfermos lo hacia con la técnica reiki». Después de haber realizado una sanación, conviene dialogar con el paciente unos minutos para que cuente, si quiere, las sensaciones que ha tenido, cómo se encuentra en ese momento, si está dispuesto a recibir la segunda sesión al día siguiente, decirle que descanse bastante, que tome agua, que lea algo positivo, así como que tenga paciencia si por ejemplo lo que tenía era un dolor y todavía lo mantiene. También podemos darle los consejos que creamos convenientes para que pueda llevar una vida más armoniosa, sea más positivo, tenga deseos de vivir, de ayudarse a sí mismo, a los demás, etcétera.

Pensar y vivir en positivo para la sanación

Una de las cosas más importantes para que una persona esté sana, es que realmente quiera estarlo; con esa actitud, tiene más probabilidades de que su cuerpo esté en perfectas condiciones, incluso mentales, espirituales y físicas. Esto es muy lógico, nuestra mente es la que lleva al cuerpo; por esta razón es de primordial importancia que cada persona haga afirmaciones positivas para que su salud se encuentre cada día mejor. Se cuenta la historia siguiente: «Había una persona que tenía joroba; pues bien, mandó construirse una estatua en la cual la persona estaba totalmente recta. Cada día, al levantarse de la cama, el hombre se miraba a la estatua que había mandado construir; con paciencia y voluntad esta persona llegó a ser totalmente recta como la estatua que le hicieron». Más adelante explicaré cómo podemos hacer afirmaciones positivas para que nos encontremos en fantásticas condiciones de salud. El pensamiento que llevemos diariamente hará que nuestro cuerpo se encuentre bien o, por el contrario, se sienta mal.

En su libro *Usted puede sanar su vida,* la autora americana Louise L. Hay nos demuestra la importancia que tiene el tener pensamientos positivos sobre nuestra salud. Se habla de cifras sensacionales, como que cada ser humano tiene una cantidad de sesenta mil pensamientos cada día. ¿Ha pensado, querido amigo lector, que cada hora que pasa de nuestra vida son 2.500 los pensamientos que tenemos, y que al mes son la cifra alucinante de 1.860.000 pensamientos los que pasan por nuestro cerebro, que el subsconciente los recoge todos como ciertos, aunque no sea realmente así? Por este motivo es necesario que tengamos pensamientos alegres, dinámicos, de salud, bienestar, de felicidad y de todo cuanto nos llene de gozo y excelente salud.

Si una persona vive en un estado positivo, toda su vida puede ser un camino a la felicidad, pues de todos es sabido que nuestros pensamientos van creando nuestro futuro, y por tanto nuestro estado es saludable. En la vida solemos decir que hay tres cosas importantes que denominamos así: salud, dinero y amor, dado que esto es lo que hemos vivido en nuestro subconsciente desde mucho tiempo atrás. Las personas mayores ponen en primer lugar la salud, y realmente es algo sensacional el estar sanos, por ello hemos de cuidar todos nuestros pensamientos. Crear sentimientos de buena salud; por ejemplo, decirnos cada día lo siguiente: día a día me encuentro mejor de salud, mi salud es cada día mejor, me encuentro en un estado perfecto de salud, sé que cada día que pasa mejora mi salud, y otras que os podréis inventar, pero, eso sí, que todas sean en positivo; por ejemplo, si decimos no quiero estar enfermo, el subconsciente, que no entiende lo que es verdad o mentira, sólo registra la frase «quiero estar enfermo». Así que hemos de tener cuidado en nombrar las palabras correctas para estar realmente sanos.

Si un día el ser humano descubre los maravillosos poderes que tiene en sí mismo, es muy posible que él mismo pueda desarrollar una fuerza tal que no necesite de nadie para sanarse él mismo. De aquí la importancia de aumentar también nuestra seguridad en nosotros mismos. Igualmente, otra forma es por medio del amor; como dice San Agustín: «Ama y no te preocupes de más». Realmente el amor tiene tanta fuerza mental, espiritual y corporal que puede y hace milagros. Yo digo en la consulta que quien comparte el amor con otra persona de alguna manera tiene el cincuenta por ciento de su felicidad asegurada.

Afirmaciones positivas para estar bien de salud

Aunque anteriormente he apuntado algo de esto, no me importa repetir e insistir en este tema. He aquí algunos ejemplos que pueden ayudarnos, si los decimos incluso cuando creemos no estar bien del todo en cuanto a la salud.

1. Soy una persona en perfectas condiciones de salud.
2. Cada momento del día me encuentro mejor de salud.
3. Tengo una salud maravillosa.
4. Mi cuerpo, mente y espíritu están fenomenalmente bien.
5. Soy un ser sano y vivo en armonía con el Universo.
6. Me encuentro fantásticamente bien de salud.
7. Cada día soy una persona más sana y saludable.
8. Mi cuerpo está en perfectas condiciones de salud.
9. Soy una persona en armonía con todas las cosas de la vida.
10. Mi espíritu, cuerpo y mente son armoniosos y sanos.
11. Puedo estar siempre bien de salud.
12. Pase lo que pase, mi salud es buena.

Y algunas que podrán imaginarse y poner en práctica; recuerden que las sugestiones y autosugestiones funcionan mejor si nos las decimos, las escribimos e incluso si las grabamos en una cinta de cassete y luego la oímos nosotros mismos. Ánimo, que por muy mal que crean estar, con tesón y voluntad podrán mejorar la salud cada día y, más todavía, estar siempre sanos y contentos.

El tratamiento reiki rejuvenece

Con el tratamiento integral de reiki podremos conseguir muchas cosas positivas; por una parte, puede desaparecer más de una arruga, sin necesidad de usar cremas u otros productos químicos; con las sesiones de reiki el paciente va sintiendo con intensidad cómo mejora su cutis, su digestión, dormirá mejor, tendrá una visión de la vida más positiva. Su edad, en más de una ocasión se verá muchísimo más joven; por tanto, puede rejuvenecer de ocho a diez años, si recibe sesiones con frecuencia; como ya dije antes, yo apuesto por cinco sesiones seguidas como remedio y contacto primero con la energía universal, después ya es el paciente quien manda; si realmente quiere mejorar, curarse, e incluso ser más feliz, él o ella serán quienes decidan si quieren seguir recibiendo la sanación por el terapeuta, tanto si es maestro como si es discípulo. Personalmente puedo asegurar que, desde que me inicié en el reiki, las personas no me echan los años que tengo, y cada vez que me hago un reiki, me siento más rejuvenecido, más activo y dinámico, y eso las personas que toman contacto conmigo lo van sintiendo. Los problemas por supuesto que los sigo teniendo, en cambio mi actitud hacia ellos es muy diferente que cuando no conocía ni practicaba nada de esta ciencia milenaria.

Quiero repetir que me alucina, cuando hago una sanación, la belleza que la persona transmite al finalizar la sesión; aparte de estar más relajada, se la ve más luchadora, dinámica para la vida, se le despiertan los sentimientos de un niño, se comunica con mejor dicción, quiere vivir con más alegría la vida y un montón de cosas más que, cuando alguien que esté leyendo el libro experimente la energía de reiki podrá comprobar por su propia carne. Nuestras manos son mágicas y considero que hemos de aprovecharnos de ello. Como ya sabemos por propia experiencia, todo lo que damos lo recibimos; por esta razón es primordial que estemos dispuestos siempre a hacernos el bien a nosotros mismos y a las demás personas.

Diferencias del reiki con otros métodos curativos

A través de mis experiencias en la enseñanza del reiki, de observar a curanderos, sanadores y personas que tienen poderes curativos y los ponen en práctica, he de decir que la técnica del reiki es de las más avanzadas, sencillas y muy fáciles de realizar para la persona que recibe la iniciación, bien de un primer nivel, segundo nivel o el tercer nivel llamado maestría. Me explicaré: Una técnica que en diez o doce horas se aprende con la ayuda de un maestro de reiki, por supuesto, no existe que yo sepa otro método de curación tan rápido. Y esto es claro y lógico; con nuestras propias manos, sin necesidad de buscar otras, podemos hacer una sanación a una o varias personas, lo mismo que a los animales, plantas, cosas, y también para enviar energía a distancia; para esto, como es sabido, es necesario tener el segundo nivel del reiki, con los símbolos para hacerlo a distancia. Podremos practicar con estos símbolos para, por ejemplo, un examen, una oposición, un encuentro que nos preocupa, e incluso para una fecha determinada que hayamos de hacer un viaje, u otro acontecimiento, etc. Para mí, personalmente, la diferencia que he apreciado en esta técnica es que muchos curanderos excelentes, que curan con sus manos a los demás, no son capaces de hacerse una curación a sí mismos; esto me hace pensar en la frase ya antigua, que dice: «Médico, cúrate a ti mismo». He tenido discípulas enfermeras, por ejemplo, que después de haberse iniciado en el reiki sus manos han aumentado de calor considerablemente y por tanto ha sido en beneficio suyo y del de las personas que atienden diariamente en el hospital. La energía universal del reiki es tan fantásticamente buena que mientras que el yoga, por citar un sistema terapéutico, necesita concentración, relajación y otras cosas, en una sesión de reiki no es precisamente necesario tener ninguna de esas cosas, es decir: es bueno que el iniciado en el reiki esté lo más relajado posible, más no es necesario que esté concentrado, ni centrado totalmente en lo que está haciendo, ya que la energía del reiki fluye por sí sola de las manos del terapeuta, a través de la energía universal, y como por arte de magia va penetrando en el cuerpo, mente y espíritu del paciente, haciendo su recorrido por todas las partes que necesita de esa energía. Otra cosa a tener en cuenta es que la persona iniciada en el reiki no recibe ninguna energía negativa de la persona a la cual le está haciendo una sanación. Más bien al contrario, se nutre a su vez de esa sanación que está llevando a cabo y a su vez él mismo recibe una sanación de sus propias manos; es un fenómeno que muchas personas creerán y otras no. Yo afirmo que es así por propia experiencia; siempre que hago una sanación, inicio a alguna persona en el reiki, me gusta mucho hacerlo, porque me beneficia enormemente. La frase que yo me he inventado es la siguiente: ¡Si podemos estar sanos, por qué estar enfermos! Cuando nos demos totalmente cuenta de que todo cuando damos es lo que vamos a recibir, desde ese momento nuestra vida puede cambiar a bien en todos los sentidos de nuestra vida.

Consecuencias positivas del reiki

1. Equilibrio psíquico.
2. Desarrollo de la creatividad.
3. Aumento de la intuición.
4. Equilibrio de los siete chakras.
5. Aumento de la alegría del ser.
6. Relajación de todo el cuerpo.
7. Capacidad de la energía vital.
8. Comunicación de las emociones.
9. Sanación de todo tu ser.
10. Conciencia muy desarrollada.

Nuestras manos

Compuestas por cinco dedos cada una, ¿qué son realmente nuestras manos? Las que curan y autocuran. Podemos apreciar que cada mano está compuesta por cinco dedos y, cosa curiosa, en astrología existen diez planetas: la Tierra, el Sol, la Luna, Mercurio, Venus, Marte, Júpiter, Saturno, Urano, Neptuno y Plutón. Como es bien sabido, el Sol y la Luna son satélites, aunque en astrología los tratamos como planetas.

Diez son los mandamientos que Dios entregó a Moisés en el monte Sinaí.

Diez son las plagas que Yahvé envío al faraón en Egipto.

Diez es el primer decanato de un signo astrológico, ya que cada signo está compuesto por tres decanatos de diez grados cada uno, puesto que la rueda astrológica está formada de 360 grados, lo que corresponde a los doce signos del Zodíaco.

Diez es la nota máxima que puede un estudiante conseguir en un examen.

Mi propia historia sobre la salud

A los dieciséis años caí enfermo de nervios, debido al desarrollo del crecimiento; una de las características fue que el brazo izquierdo se me quedó sin fuerza, lo mismo que la pierna izquierda. Recuerdo que comía poco y es muy posible que la mala alimentación produjera estos fenómenos. De niño, lo recuerdo con nitidez, quería que Dios me hiciera ciego, ya que tenía cantidad de complejos de inferioridad (por suerte ahora soy valiente y decidido, al menos eso es lo que yo creo). Como fui a la escuela primaria poco tiempo, debido a que teníamos una tienda de comestibles y en ocasiones la atendía yo, pues mis padres posteriormente me enviaban a un profesor particular, que en Navarra se denominaba que uno iba a la «hora». Sé que con la voluntad que puse en curarme y sobre todo las pastillas e inyecciones que yo diría que me dejaban medio drogado, ya que únicamente comía y dormía, parece ser que mi crecimiento se realizaba de una manera diferente a otros seres humanos; no obstante, fue una lección tan grande la que aprendí sobre la salud y la sanación, que a buen seguro ahora, cuando alguien viene a la consulta, lo puedo entender mejor en las afecciones que tenga. La vida está llena de experiencias que unas nos sirven para crecer y otras para vivir de una manera u otra; lo que sí es cierto que en mi juventud, siempre pensaba cuál sería la carrera que escogería como profesión, y una de ellas era la de médico, otra la de sacerdote o religioso, y por último la de músico; por esta última me decidí a la edad de veintiún años.

A los veinte años me apareció una úlcera en el duodeno, y el médico me hizo tomar una papilla para verme bien el estómago; era necesario llevar un régimen bastante severo, cosa ésta que llevé a la perfección. El doctor que me atendió estaba haciendo una suplencia al que me correspondía por estar éste de vacaciones; cuando volví, como se me comunicó, al mes siguiente, el médico titular, que ya había vuelto de sus vacaciones, me comunicó que no tenía úlcera, ni rastro de haber tenido tal cosa. Mi madre, que es una persona que reza mucho, cree que esto fue un milagro que hizo San Francisco Javier, ya que ella le rezaba día a día; la cosa es que desapareció como por arte de magia y nunca más supe de la úlcera del duodeno.

A los veintiún años, al llevar a cabo mis estudios musicales, comprobé que mi seguridad aumentaba, que me iba convirtiendo en un ser más comunicativo, que la infelicidad que había sentido de niño ahora era todo lo contrario, me sentía una persona importante. La música, y sólo la música, curó mis depresiones, me hizo más lanzado, más comunicativo y, tengo que decirlo, un ser humano espiritual con ganas de ayudar a los demás seres humanos, con deseos de ser un gran músico y creo que lo he conseguido, y además compositor.

El cáncer

El cáncer es una de las enfermedades que más preocupa actualmente al ser humano. Pues bien, para las personas que tengan a un familiar con esta grave enfermedad les recomiendo que se inicien en la técnica del reiki, que con la sanación podrán encontrar mejoría, incluso aunque no se vaya la enfermedad totalmente. Como toda enfermedad, se produce por un bloqueo, sobre todo lo que está relacionado con la parte afectiva de la persona; he visto y comprobado cómo las personas con esta enfermedad han mejorado enormemente mucho, algunas incluso se han curado ellas mismas, como ha sido el caso mágico de la escritora americana Louise L. Hay, autora de libros tan interesantes como *Usted puede sanar su vida*, en el que explica con detenimiento y detalle cómo ella misma, con pensamientos positivos, alimentación adecuada y toda clase de lectura sobre el tema ha conseguido resultados maravillosos en la sanación y sobre todo en la actitud positiva.

Otra escritora también se curó ella misma de cáncer; Ángela Passidomo Trafford así lo explica en su libro *Autocuraciones:*

«Considero que si todos los seres humanos practicaran y se iniciaran en esta técnica el mundo caminaría por otros senderos. Una de las cosas que hace que las personas enfermen es el no expresar los sentimientos y, de manera especial, el no tener pensamientos saludables en todos los momentos del día. Sabido es que las noticias en los medios de comunicación son cada día mayores y algunas son positivas, pero las más de las veces nos dan noticias que aunque son reales nos afectan a nuestra sensibilidad, de ahí que Louise L. decía que ella en su proceso de evolución dejó de leer la prensa, escuchar la radio y ver la televisión; quizá no haga falta hacer todo esto, lo que sí es cierto que en ciertas ocasiones somos nosotros mismos quienes producimos nuestras propias enfermedades».

Recomendaciones para vivir más sano y saludable

1.ª Tomar en ayunas un zumo de naranja y limón.
2.ª Beber grandes cantidades de líquido diariamente, primordialmente agua, de dos a tres litros.
3.ª Aunque las cosas no vayan como se desee, tener pensamientos positivos cada día.
4.ª Salir al campo a respirar aire puro, al menos una vez por semana.

5.ª Alimentarse de verduras del tiempo, frutas, hortalizas, pescado más que carne.
6.ª Si se toma azúcar, será mejor para la salud tomarla morena.
7.ª La alimentación comienza por la boca, por tanto masticar bien los alimentos para que el estómago trabaje menos.
8.ª Si comemos plátanos, recordar que son indigestos si no se ensalivan de dos a tres minutos en la boca antes de ingerirlos.
9.ª La fruta es mejor comerla antes de las comidas y recordar que la manzana es una de las frutas que nos conviene comer al menos una cada día. Hay un refrán que dice así: «Quien come una manzana diaria, ahuyenta al médico de casa» (yo digo: ¿Y si el médico es el esposo? Bueno esto es una broma).
10.ª Después de la cena, dar un paseo tranquilo al menos de veinte minutos; nos irá bien para dormir mejor.
11.ª Cuantas menos pastillas tomemos, mejor para la salud; a ser posible quitar un trozo a cada una de las que tomemos, ya se sabe que cuando la sangre se acostumbra a la medicina, puede llegar un momento en el cual ya no hagan efecto. Esto entiéndalo como una recomendación, no obstante puede consultarlo con su médico (recuerdo que en una ocasión el segundo de mis hermanos, Francisco Javier, tenía un dolor de cabeza intenso según nos decía; entonces mi padre le dio una aspirina y se le quitó. Bien, en otra ocasión que también dijo que

tenía dolor de cabeza, en esta ocasión mi padre en vez de darle una aspirina le dio un vaso de agua únicamente y al poco rato le preguntamos cómo se encontraba y dijo que se le había pasado; la conclusión que he sacado de esto es que muchas veces nos sugestionamos y, pensando que todo se quita con una pastilla, con el solo hecho de tomarla nos desaparece el dolor.

12.ª Nuestra mente es poderosa, por ello piense en positivo y actúe en consecuencia positivamente y tenga confianza en sus poderes espirituales para poder sanar y estar bien de salud, si es que se encuentra enfermo; de ahí que es conveniente que tenga pensamientos positivos y saludables. Cada momento del día recuerde que la fuerza espiritual y el poder de cada ser humano es mágico y que «puede más quien quiere que quien puede».

Práctica de la sanación en grupo (yo la llamo familia reiki)

Lo recomiendo encarecidamente por la importancia que tiene el compartir los conocimientos de cada individuo y poder de esta manera crecer en la sanación de la técnica reiki. Desde hace un tiempo, vengo haciendo con mis discípulos de primero y segundo nivel de reiki estás prácticas los miércoles por la mañana, día precisamente del planeta Mercurio, el de la comunicación, el dios de la elocuencia, y estoy viendo crecer con grandes progresos a mis discípulos, viendo cómo se van comunicando cada vez más, de manera que sus chakras están más abiertos, desbloqueados y llenos de ilusión por vivir, ilusión por la vida; de estos contactos también se benefician sus familiares, ya que, aunque algunos son reacios a creer en el reiki, poco a poco se van volviendo más aperturistas y por tanto estamos, según mi opinión, contribuyendo a mejorar la salud, la comunicación, el amor, y de alguna manera a vivir más felices y de manera especial a encontrarnos con nuestro verdadero yo, ése que en ocasiones nos da miedo admitir y escuchar cuando nos habla con la sinceridad y la espontaneidad de un niño. Efectivamente, estos contactos que tenemos con nuestras manos son algo maravilloso, sensacional, que nos ayuda a llevar la vida mucho más alegre y dinámica, nos eleva a otras esferas del conocimiento humano con algo tan sencillo y simple como son nuestras propias manos; esto me hace recordar que de una u otra manera estamos haciendo un mundo, nuestro mundo más cerca de nuestro Dios creador, y todo ello de manera armoniosa, delicada, dinámica, expresiva y espontánea. Por esta razón les recomiendo, a quienes son maestros de reiki, que tengan esta experiencia al menos una vez por semana, que se reúnan e intercambien los conocimientos que cada cual va agregando a los que ya poseía. Ánimo, que la experiencia merece la pena vivirla, sentirla en nuestras venas, en nuestro corazón, que como ya es sabido de él sale lo bueno de la persona, la parte creativa del amor, de los sentimientos, la parte que el poeta emplea para expresarse poéticamente. Se ha escrito tanto sobre el corazón, que ya sabemos cómo funciona si se le trata con cariño y amor, que no es ni más ni menos que queriéndonos más a nosotros mismos cada momento del día y, por supuesto, queriendo también a nuestros semejantes.

Recordando las cinco reglas de conducta del doctor Mikao Usui

1.ª Sólo por hoy no esté preocupado.
2.ª Sólo por hoy no esté enojado.
3.ª Sólo por hoy honre a sus padres, maestros y ancianos.
4.ª Sólo por hoy gánese la vida honradamente.
5.ª Sólo por hoy sienta gratitud por todo ser vivo.

Los grandes maestros del reiki

A finales del siglo XIX el doctor Mikao Usui viaja e investiga la búsqueda del reiki. En el transcurso de su labor como maestro, se dice que preparó e hizo maestros aproximadamente a un número de entre dieciséis y dieciocho. Se pueden encontrar datos con diferente número, que creo es

Doctor Mikao Usui (año 1858-1860/1929-1930)

Chujiro Hayashi (año 1878, 10 de mayo de 1941)

lo menos importante. Lo importante es que redescubrió el reiki, que tanto bien está haciendo a la humanidad y seguirá haciéndolo.

Durante el año 1925 recibió Chujiro Hayashi el grado tres de maestro. Para entonces contaba con la edad de cuarenta y siete años. A su muerte ya había creado alrededor de quince maestros. Las primeras mujeres fueron su esposa, Chie Hayashi, así como Hawayo Takata.

Hawayo Takata (24-12-1900/1980)

Hawayo Kawamuru *(Takata)* nació el día 24 de diciembre de 1900 en Hawai. Durante la primavera del año 1936 se inicia en el reiki de la mano de Chujiro Hayashi, en el año 1937 recibe de nuevo del mismo maestro el segundo nivel del reiki. Es en el invierno cuando recibe el tercer nivel, la maestría; este acontecimiento tuvo lugar en Hawai, el día 22 de febrero de 1938. Igualmente, Chujiro Hayashi nombra a Hawayo Takata sucesora suya, esto después de hacerle e iniciarla en la maestría.

Entre los años 1970 y 1980, Hawayo Takata había iniciado a veintidós maestros del reiki.

Utensilios para el reiki

Camilla, ella nos ayudará a que el paciente se encuentre cómodo, al igual que el terapeuta o iniciado en reiki. No es necesario que la persona se desvista, lo que sí es conveniente que tenga la ropa holgada, es decir que no le apriete nada de lo que lleve puesto. Se puede hacer la sesión con una sábana o manta encima del paciente, o sin ella, la energía pasará de igual manera en ambos casos. La música, no muy alta y con un carácter relajante, será beneficiosa; lo mismo pueden ayudar unas velas encendidas (cuidado con no producir un fuego), el incienso si les gusta al terapeuta y paciente también dará un toque de armonía. La habitación o lugar dedicado a la sanación ha de ser un lugar tranquilo, que no pueda nadie molestar al reikista mientras realiza la sesión de sanación; lo mismo sucederá con el teléfono, aunque suene no es conveniente cogerlo, mejor poner el contestador si lo hubiera. Muy importante lo que viene a continuación: las personas con una edad avanzada, si tienen algún problema de respiración, e incluso del corazón, es necesario que estén sentadas en la camilla en vez de tumbadas, ya que la respiración de estas personas les impide poder permanecer mucho tiempo en la posición de tumbadas y no les deja recibir la sesión de sanación como es de desear; por tanto, tengamos en cuenta esta observación a la hora de querer curar a alguien. Esto lo he experimentado en las sanaciones; no es esta regla sólo aplicable a las personas de edad avanzada, sino también a quienes, aun siendo jóvenes, no puedan respirar correctamente y con naturalidad.

Recordemos que hemos de poner todo nuestro cariño y conocimiento a la hora de hacer una o varias sesiones de reiki. Para mí me ha resultado maravilloso el poner todo el amor de mi corazón en mis propias manos; de esta manera el paciente se encuentra acompañado, seguro y con confianza para poder mejorar en su estado anímico, enfermo, o en el estado en que se encuentre. Es muy recomendable decirse lo siguiente cuando hacemos de sanadores: afirmar que tenemos poderes para curar o mejorar a la persona que estemos dando en ese momento la sesión. El firmamento, según mi opinión, recoge esa actitud positiva y la persona mejora en la mayoría de las veces con más rapidez. Vale la pena probarlo y veremos resultados sorprendentes en cuantas sanaciones realicemos.

Sabido es la importancia que tiene el pensar y vivir en sentido positivo, tanto para nosotros como para quien ha confiado y se ha puesto en nuestras manos confiando en que podemos ayudarle a vivir la vida con más plenitud, excelente salud y armonía.

Aprenda a escuchar a su cuerpo

Sabido es que el cuerpo tiene su propio lenguaje. Cuando por ejemplo nos sube la fiebre, ello como se ha demostrado es debido a que algo no funciona bien en nuestra máquina, en nuestro cuerpo. En estos momentos delicados de subida de temperatura se ha de cuidar que la fiebre no baje demasiado rápidamente, ya que el cuerpo tiene su propia recuperación y para que esto suceda es necesario que pase un tiempo.

Cuando uno ha tenido una decepción amorosa, un despido de trabajo, una pérdida de un ser querido, la ruptura con un amigo, un cambio de domicilio, de ciudad, etcétera, todo ello hace que el cuerpo tome sus propias determinaciones. De aquí que caiga gente enferma en unas circunstancias más que en otras. En ocasiones, como ya se ha dicho anteriormente, nos ponemos enfermos para que nuestra familia, amigos u otras personas nos den cariño, para decir «oye que yo existo», que necesito que sepas que a tu lado hay una persona que está pasándolo mal, de ahí que cuando existen cambios de los mencionados en lo anteriormente expuesto las personas nos enfermemos.

Se dice que la depresión por ejemplo es consecuencia de no admitir el cambio, el cambio que se acaba de producir, el cambio que la vida nos exige de que cada día, por poner un ejemplo, seamos mejores en nuestra profesión, seamos cada día mejor hablando, haciendo el amor, expresándonos con nuestro amor, vistamos cada vez mejor, todo lo que exige estar a la altura de las circunstancias. Si no, observemos los anuncios con que la prensa, la radio y la televisión nos invaden con imágenes cada día más sofisticadas. Me gusta la publicidad y creo que tenemos que dar gracias al siglo XX, que nos ha dado el teléfono móvil, Internet, el fax y un sinfín de cosas que con ellas podemos vivir, si sabemos disfrutarlas, con más alegría y sobre todo comunicarnos con todo el mundo, pero ojo... que aquí como todo en la vida tiene más de una vertiente. Si una persona tiene un coche que tiene cuatro velocidades y el vecino otro de cinco velocidades, si la persona no tiene personalidad, me refiero a la del primer coche, sufre por no poder realizar más velocidad. De aquí vienen en ocasiones las depresiones que la persona siente o sufre si, por ejemplo, la mujer de su amigo viste mejor que la suya, o puede asistir a conciertos, teatros, salir de vacaciones y la suya no puede permitirse estos lujos, etc. A este capítulo le llamo precisamente «Aprende a escuchar a tu cuerpo», porque en más de una ocasión esas pequeñas cosas son las que nos hacen sacar de quicio, las que nos ponen nerviosos, nos hacen inseguros, nos deprimen, nos sentimos inferiores, y de ahí puede venir una enfermedad que no existía, que la vamos creando en pequeñas dosis cada vez que nos sentimos inferiores, nos deprimimos, nos valoramos poco; de esta manera la persona al ponerse enferma, va recibiendo, o al menos pide cariño, comprensión a gritos. Si vemos por ejemplo la sociedad americana, todo es competencia, es ser el mejor, es llegar a ser el número uno, es conseguir los mejores coches, las mejores amantes, los amigos más importantes...

De todo cuanto antecede se va deduciendo que tenemos que escuchar a nuestro cuerpo, aprender su lenguaje, que lo tiene.

Hemos de conseguir un equilibrio armónico con nosotros mismos, una personalidad para que las cosas que antes nos afectaban del exterior, ahora con su propia personalidad no nos afecten con tanta facilidad como lo estaban haciendo hasta ahora. Por esta razón hemos de cultivar un lenguaje de expresiones positivas; no quiere esto decir que siempre nos tenemos que conformar con la situación que tengamos, considero que el querer superarse a sí mismo puede ser un motivo magnífico de crecer, de vivir entusiásticamente, de hacer y participar en una vida mejor ya que si alguien no hubiese pensado que podría hacer un edificio alto, todavía viviríamos en las cavernas, en chabolas o debajo de los puentes. Si conseguimos el autoconocimiento de nosotros mismos y de quienes nos rodean, es muy probable que encontremos respuestas a muchas de las cosas que antes no sabíamos por qué sucedían. Cuando tomemos una determinación para nuestra vida, hemos de ser consecuentes con nosotros mismos. Como es bien sabido, lo que dice el antiguo refrán: «A Dios rogando y con el mazo dando». Si llevamos una vida que no encaja con lo que queremos hacer, aquí tenemos un motivo para que no haya armonía en nuestra vida, que la enfermedad aparezca cuando menos la esperamos; la consecuencia de la enfermedad se debe a los esquemas mentales que nos perjudican, que hacen que falte armonía en el discurrir de nuestras vidas; por todo esto es importante escuchar el mensaje de nuestro cuerpo, tratarlo con cariño para que así suceda, para que nuestra salud esté en todo momento bien, en armonía con el Cosmos, ya que somos parte de él. Decía un autor que para que nuestra expresión sea de sonrisa, únicamente hay que poner en funcionamiento trece de nuestros músculos y para poner cara de vinagre la cantidad de seiscientos. ¿Cree que merece la pena estar de esta última manera?

La respiración

La respiración es algo imprescindible y fundamental en esta vida, y por lo general las personas no respiran de forma correcta o no saben usar su aparato respiratorio de la mejor manera. Si no llenamos de aire bien los pulmones al hacer la inspiración, esto puede dar lugar a que no realicemos bien el intercambio de gases que se han de producir en nuestros pulmones.

Los practicantes de yoga, en el cual me incluyo, denominan al acto de inspirar introducir en cada cuerpo una vitalidad llamada «prana»; de las personas que llevan a cabo la técnica del yoga, podemos aprender por ejemplo a tener más energía, estar más relajados, sentir más entusiasmo por la vida, amar y respetar más nuestro cuerpo. En la respiración inhalamos oxígeno y al expulsar el aire anhídrido carbónico.

Recuerdo con cariño mis diez años en la capital navarra, donde compré mi primer libro sobre el yoga; estuve un año aproximadamente leyendo intensamente y con ahínco todo lo que en él se decía y al trasladarme a la ciudad de Alicante, para ampliar mis estudios musicales, allí fue donde decidí llevar a cabo los ejercicios; primero me los grababa en un cassete y los escuchaba, después ya me decidí a hacer todo lo que se comentaba. He de decir con alegría y decisión que conseguí dejar la mente en blanco, dar órdenes a las personas y sobre todo sentir cada día más energía en mi cuerpo; realmente en esa época, muy importante para mí, llevé a cabo magníficas obras musicales y ejercicios espirituales sensacionales, como un curso intenso sobre la Biblia en la iglesia de San Francisco de la capital alicantina.

Siguiendo con la respiración, diremos que existen tres tipos de la misma:

Primera. Diafragmática

Es decir, la que se lleva a cabo desde los músculos abdominales.

Segunda. Torácica

Ésta se practica con una profunda respiración; para esto expandiremos nuestra caja torácica todo cuanto podamos.

Tercera. Completa

Para ésta hay que colocarse en la posición del loto, o postura también llamada del sastre. He aquí la relación como norma de tiempo, que es la siguiente:

Inspiración: cuatro segundos.
Retención: de dieciséis a treinta y dos segundos.
Espiración: de ocho segundos.

Como podemos comprobar, respirar el aire puro y correctamente es muy interesante y necesario; no me extiendo más porque ya existe mucha información al respecto. Alguien puede decir: qué tiene que ver esto con el reiki; pues sinceramente mucho: por un lado la salud, si respiramos bien mejora, la energía se duplica y por tanto tendremos más tiempo para poder llevar a cabo cosas que queramos hacer, y recordar que desde que nacemos hasta que morimos hay dos cosas que hacemos: respirar y pensar.

Ejercicios físicos

El cuerpo necesita una serie de movimientos diarios que si queremos estar cada vez más sanos hemos de tener en cuenta.

Por un lado, al poner en movimiento nuestro cuerpo estamos consiguiendo cada día más elasticidad y, por ende, estaremos cada vez más sanos, los músculos que no se ponen en movimiento se anquilosan. De ahí la importancia tan maravillosa de realizar y llevar a cabo a diario movimientos de nuestros músculos para que cojan fuerza.

Desde la natación, el paseo al aire libre, correr, salir a la montaña, hacer una peregrinación, realizar algún ejercicio gimnástico, hasta lo que se nos ocurra, nos servirán para tener una vida armoniosa, alegre, dinámica y placentera; si simplemente caminamos todos los días de treinta a cuarenta minutos, ya es suficiente.

Composición química del organismo y materias que entran en la composición del cuerpo humano

Si nuestro cuerpo, la mente y el espíritu están en perfecto equilibrio y su culminación es una salud magnífica, la persona estará sana mental, corporal y espiritualmente; si por el contrario no tiene el equilibrio necesario para estar sano, aparece lo que llamamos enfermedad.

Primero: materias minerales.
Segundo: proteínas.
Tercero: grasas.

Cuarto: hidratos de carbono.
Quinto: agua.
Sexto: anhídrido carbónico.

Sus principales elementos químicos

1. Hidrógeno.
2. Oxígeno.
3. Carbono.
4. Nitrógeno.
5. Azufre.
6. Fósforo.
7. Cloro.
8. Flúor.
9. Silicio.
10. Yodo.
11. Calcio.
12. Sodio.
13. Potasio.
14. Magnesio.
15. Hierro.
16. Aluminio.
17. Cinc.
18. Cobre.
19. Manganeso.

Las compañías

Rodéese de persona sanas, optimistas, personas que le aporten algo a su buena salud, que sean seres humanos que estén dispuestos a vivir la vida en toda su plenitud, que disfruten de una puesta de Sol, de una noche de Luna llena, gente que esté contenta de haber nacido, de poder compartir momentos agradables con sus amigos, su familia, etcétera. Esto no quiero decir que dé a entender que hay que huir de las personas que estén enfermas, de las personas que sufren, etc. Lo que quiero es que se rodee de alegres criaturas que sean como niños; esto siempre lo tenemos que mantener, el ser como niños, ya que así somos en el fondo de nuestro más recóndito ser. Hay personas, y todos sabemos cuáles son, que están cada momento del día en una queja constante; de éstas es de las que hay que cuidarse, porque en su fondo interno lo que quieren hacer, con esta postura y actitud, es llamar la atención por algo, que se les haga caso, y está muy bien atenderlas, pero cuidado... cuando ya las haya escuchado en varias ocasiones y le digan lo mismo, una de dos, o dejas su compañía o les da consejo para que encuentren una solución a sus problemas.

Si se rodea de seres humanos que sean optimistas, sanos y agradables, su vida será un reflejo de las compañías que entren en su vida, así que ánimo, salga al aire libre, abra sus pulmones en toda su plenitud y goce de haber nacido, de estar vivo, de tener la suerte de poder escoger muchas cosas buenas de esta vida que el Dios de los cielos nos ha legado. Recuerde el ejemplo de «la botella medio llena o medio vacía»; tal como miremos al mundo, tal como reaccionemos hacia los acontecimientos de este mundo, así nos expresaremos en nuestro caminar por la vida. Si quiere que su vida sea sana, procure que sus pensamientos sean de buena salud, armonía, y sobre todo cuide sus compañías, lea libros que le ayuden a crecer, mental, corporal y espiritualmente, que le ayuden a conocerse más a sí mismo, que le lleven por el sendero de la felicidad, que existe, aunque únicamente esta felicidad sea por momentos, por segundos. Las buenas compañías, las excelentes amistades, que las hay en esta vida, están aquí para comunicarle lo bello de vivir ya en el siglo XXI. Podemos ser cada vez más sanos, armoniosos y felices, si buscamos con alegría las cosas bellas de la vida, si vivimos de acuerdo a la naturaleza, que es sabia; ella nos puede acercar a lo más profundo de nuestro ser y decirnos cómo y de qué manera hacer las cosas, los árboles, las plantas, los animales y las cosas; si sabemos escucharlas, podremos aprender lecciones magistrales para el desarrollo humano de nuestra existencia.

Para querer y estar bien de salud, comience a llevar una vida plena con ejercicios gimnásticos, pensamientos positivos, lecturas amenas y positivas; rodéese de gente que tenga una ilusión desmedida por vivir, por ser eficaz en su desarrollo y ayudarse y querer ayudar a sus semejantes; así es como su vida irá por el buen camino, sea creativo, tome un pincel y pinte, póngase a escribir poesía, cante y escriba una canción, saque de usted la parte creativa, que la tiene, seguro que se sorprende a sí mismo con todo cuanto puede hacer con sus cualidades creativas, quizá hasta ahora no sabía lo buen creador que es. Para conocerse a sí mismos hay que probarse; para conocer el reiki y sentirlo en sus propias carnes hay que practicarlo, sobre todo a sí mismo; por este motivo es de gran importancia que esté dispuesto a escuchar a su espíritu hablar, desarrollarse, que se abra a las cosas bellas y geniales de esta vida que nos ha tocado vivir a usted y a mí. La importancia de estar sanos, todo sabemos lo bueno que es tener una salud excelente.

Puede gozar de una perfecta salud, aunque en estos momentos se sienta enfermo; puede sanar, ser un ser sano y robusto, lleno de armonía, siguiendo como he dicho antes las estaciones y el lenguaje de la naturaleza; salga de usted mismo, no dé tantas vueltas a sus problemas, ya sabe que «si el problema tiene solución, para qué preocuparse, y si no tiene solución, para qué preocuparse»; cuántas veces hemos estado preocupados por algo que nos podía suceder y no ha sucedido, cuántos momentos hemos estado sufriendo sin necesidad y todo ese sufrimiento únicamente ha servido para empeorar nuestra salud, para obtener un dolor de cabeza, para sentirnos desgraciados y exentos de excelente salud. Así que recuerde que para estar cada día mejor de salud actúe como si ya fuera un ser humano pleno, alegre y con una salud de hierro, que nada ni nadie se la puede arrebatar; de esta manera caminará por la vida con una armonía desbordante, verá cómo su magnetismo se acentúa y atrae a usted lo bueno, lo bello, lo exquisito del Universo; merece la pena que lo pruebe, que intente ser y vivir en perfectas condiciones de salud y bienestar. Adelante e inténtelo, la experiencia puede ser inolvidable, exquisita y nunca sentida anteriormente.

Ejercicio para encontrar la paz espiritual

Si quiere encontrar la paz espiritual, estoy seguro que sabe muchas técnicas para lograrla; unas se consiguen a través de la oración de los pensamientos positivos, de llevar a cabo obras de caridad con uno mismo y con los demás seres humanos; bien, de lo que yo quiero hablar es algo sencillo y que lo aprendí a través de un curso por correspondencia, llamado «Las leyes eternas del éxito», Método Aubanel, en el que entre otras cosas se hablaba de la importancia que tiene cuando estamos disgustados, desconcentrados, y hemos recibido un impacto psíquico que nos perturba; entonces hemos de realizar lo siguiente:

1. Salir a caminar con la vista y la espalda recta.
2. Inspirar por la nariz profundamente cada cinco o seis pasos, ello dependerá de la costumbre que se tenga de respirar profundamente y de la capacidad de aire que sus pulmones puedan recoger; después de haber hecho estas inspiraciones, justo con la misma cantidad de pasos, es decir, cinco o seis, como se ha hecho anteriormente, se lleva a cabo lo contrario, que es expulsar el aire en esta ocasión por la boca. Se ha de mantener una décima de segundo antes de llevar a cabo la expulsión del aire.

Con conocimiento de causa quiero decir que he llevado a cabo este ejercicio siempre cuando he sentido la necesidad de relajar mi cuerpo, de ponerme en armonía con el Universo, de estar contento y con ganas de vivir. Si he recibido un disgusto por ejemplo, o mis pensamientos no estaban lo positivos que yo quería que estuviesen, la respiración me ha puesto a tono, me ha proporcionado la paz que estaba buscando. Este ejercicio es suficiente con llevarlo a cabo durante veinte minutos aproximadamente. Si por alguna razón no podemos pasear por la calle u otro lugar, podemos hacerlo en una habitación que sea amplia, en un pasillo, en la playa, en fin en cualquier lugar que podamos desplazar los pies, e incluso si únicamente hacemos la inspiración cada tres pasos será suficiente. Comprobará que la sencillez de esta forma de estar contento consigo mismo se puede llevar a cabo a cualquier hora del día. Cuando estamos caminando con un amigo, eso sí, hemos de mantenernos callados porque si no no podremos respirar y hablar a la vez concentrados; merece la pena que probemos esta manera de conseguir la paz con nosotros mismos, de tal manera que después las cosas serán más fáciles de llevar a cabo, tanto si se trata de una entrevista como de un ejercicio que necesite nuestra concentración. Si hacemos esto diariamente, conseguiremos algo importante: que las cosas que antes nos afectaban y molestaban dejarán de molestarnos, aumentará nuestro magnetismo personal, por tanto la vida nos será más fácil. Nuestra voluntad y decisión aumentarán creando un halo de positivismo allí donde vayamos, que nos ayudará a conseguir con más facilidad todos nuestros objetivos.

El amor cura muchas enfermedades

Tengo discípulos de reiki en Madrid, Barcelona, Manresa, Navarra, San Sebastián y otros lugares; pues bien, en este último lugar, recuerdo con cariño el año que inicié en primer nivel a doce de ellos, allá por noviembre de 1996. Amo España y estoy enamorado de San Sebastián, ya que allí hice el servicio militar, asistí al Conservatorio de Música y he acudido en varias ocasiones más. El fenómeno que allí pasó es el siguiente: Eduardo Loyola, una persona iniciadora de muchas cosas, organizó el evento en Donosti; de los doce discípulos que allí tuve, precisamente a él le dije que de allí le iba a surgir un amor; al poco tiempo me llamó por teléfono para comunicarme que, efectivamente, Sonia era ahora el amor de su vida, que gracias al reiki se habían conocido, que la relación era maravillosa y que querían ambos escribir en este libro cómo se conocieron y qué ha sido para ellos el reiki. Precisamente he vuelto a recibir otra llamada de Eduardo, comunicándome que el amor es tan grande que mueve todo en este Universo. Efectivamente, el beneficio que el reiki aporta al amor es extraordinario: por un lado esos canales que se abren para poder expresar mejor los sentimientos, para comunicar con alegría nuestro estado anímico en cualquier momento, sólo se consiguen si tenemos los chakras abiertos, y esto es lo que hace el reiki. Por este motivo el amor hace milagros y cura enfermedades, sobre todo de tipo afectivo, sentimental, y da a la persona una satisfacción tal que en pocas cosas de la vida se puede conseguir ese estado tan especial que podemos tener cuando compartimos el amor. El compartir, lo repito, es un acto magnífico de amor y de humanidad. Esta historia real de Eduardo y Sonia es solamente una pincelada de las cosas que nos pueden ocurrir cuando estamos abiertos a la energía del Universo, cuando dejamos la ventana del amor abierta para que entre ese sol potente que es esa palabra que, aunque de cuatro sílabas, tiene un poder sensacional en la vida de una persona: «Amor».

Hacer el amor para estar más sanos

Hacer el amor es una de las mejores terapias con las que cuenta el ser humano. El compartir el amor es uno de los mejores actos con que contamos para desarrollarnos como personas; esto es algo que agradezco con mucho cariño a todos mis maestros de reiki, a los cuatro que he tenido. Hasta ese momento creo que todavía no sabía muy bien compartir todo como lo hago en estos momentos. En la relación amorosa intervienen muchos factores; quien os habla, hasta llegados los treinta y dos años no había estado con una mujer íntimamente; eso sí, había practicado la masturbación, había tenido sueños en los cuales, en ocasiones, eyaculaba durmiendo y soñando con alguna mujer, es posible que la timidez fuera la causa de no haber tenido relaciones amorosas. Recuerdo cuando estudiaba la carrera de música en Pamplona que entonces había dos amigos sacerdotes, ahora ya se han salido los dos, estudiando música y yo les decía para que voy a salir con esa chica si no voy a casarme, y uno de ellos, un gran cantante, me decía: eso no importa, es bueno que salgas con chicas y conozcas al sexo femenino. Lo cierto es que cada día disfruto más del amor, estoy más sano y hago disfrutar a mi pareja. Por ese motivo animo a quienes lean este libro a que siempre que puedan hagan el amor, porque la práctica les dará una vitalidad, un deseo de vivir y una vida de lo más sana si lo practican con regularidad; eso sí, cada cual será libre de hacerlo con la persona que crea conveniente; en ocasiones ayuda el ver un vídeo, aunque no sea pornográfico al menos que tenga una relación directa de cómo se ha de amar; hoy en día existen muchas posibilidades de conseguir mucha información sobre el tema; personalmente os recomiendo los cuatro vídeos de «Aprender a amar», dirigidos por el doctor Andrew Stanway, Editorial Globus Comunication. En estos cuatro vídeos podremos aprender a amar con más decisión y voluntad, y sentir más placer, algo que la naturaleza nos ha dado, que Dios lo ha puesto para desarrollarnos y procrear seres humanos llenos de vida y desarrollar cada vez más nuestras satisfacciones corporales, espirituales y naturales.

Quien dijo que teníamos una cruz con nosotros toda la vida se olvidó de anotar que también tenemos el derecho de vivir plenamente nuestra sexualidad, de compartir esos momentos tan sublimes que hemos de hacer con toda nuestra voluntad sintiéndonos libres y con el derecho de gozar, sentir y disfrutar de nuestro cuerpo. Otra cosa muy importante para la sanación es el masturbarse cuando no tengamos con quien compartir ese deseo sexual y necesario que cada ser humano lleva consigo mismo. En su libro *Del Sexo a la Su-*

perconsciencia, hecho de sus conferencias, Rajneesh Dham nos indica la importancia que tiene el hacer el amor en nuestras vidas y anota que las mujeres que no hacen el amor tienen que ir al psiquiatra. Aprendamos a amar con libertad para estar cada vez más sanos; el reiki será completo si amamos con todo nuestro corazón, si cada día somos más comunicativos en nuestras partes afectivas. Al abrir nuestros chakras, estamos mucho más abiertos y aperturistas para poder expresar nuestros sentimientos, y quiero, aunque sea reiterativo el decirlo, que para estar cada vez más sanos hemos de expresarnos con libertad en nuestros sentimientos, veremos el cambio que se produce en nuestra vida, observaremos las cosas que conseguimos al abrir nuestros corazones con amor, con humanidad y sobre todo con alegría.

Obsérvese cuando su salud esté dañada

Se me ocurre que si observamos la reacción de nuestro cuerpo podemos estar y sentirnos más sanos. Recuerdo en una ocasión que leí una frase que me dejó atónito; decía lo siguiente: «El hombre no muere, se mata a sí mismo». Por paradójico que parezca esto, merece la pena que meditemos sobre ello. Se habrá fijado el querido lector que, cuando estamos celebrando un acontecimiento, lo primero que pensamos es en ingerir mucho alcohol, atiborrarnos de comida y en resumen hacer excesos en todo, o casi todo; ésta es una de las causas por la cuales el organismo se llena de toxinas sin darnos cuenta; por esta razón, es importante que cuidemos nuestros excesos, que sepamos divertirnos y celebrar un acontecimiento, bien sea un cumpleaños o una despedida de soltero pongo por caso, sin necesidad de hacer ninguna barbaridad, ni en la alimentación ni en la bebida. Ciertamente, si escuchamos los mensajes de nuestro cuerpo, de nuestras necesidades, comprobaremos que cada día que pasa podemos estar mejor de salud. Y por cierto, hágase de cuando en cuando revisiones periódicas con su médico para comprobar su tensión, circulación de la sangre, glóbulos rojos, etc. Merece la pena para ver cómo sigue funcionando nuestro cuerpo; también nos servirá de mucho una lectura buena sobre la alimentación, el funcionamiento de nuestros órganos, todo cuanto nos ayude a saber más de nosotros mismos. Si su salud está dañada, merece la pena que se cuide y llegue a la conclusión de que no hay enfermedades sino personas enfermas, enfermos que caen así para recibir cariño, para llamar la atención, en resumen para que nos escuchen, para que sepan que vivimos. Los niños son quienes nos pueden enseñar, y de hecho nos enseñan, que cuando quieren algo nos lo piden, unas veces llorando, otras pataleando y las más de las veces poniéndose malitos para que sepamos que están allí y conseguir el cariño que a lo mejor, de no estar enfermos, no les haríamos caso.

Otra cosa a tener en cuenta es que, cuando tienen algún dolor, ellos mismos se colocan las manos para que sepamos exactamente dónde tienen ese dolor, la molestia; de esta manera es como un ser humano quiere ese cariño que de otra forma no se le daría, o quizá no seamos capaces de solicitarlo y pedirlo, y cuando llega la enfermedad se consigue con más facilidad.

Claro, esto tiene unas raíces muy antiguas, que es conveniente que tengamos en cuenta; lo ideal de todo esto es expresar los sentimientos, pero quién se atreve a ello. Si la persona en cuestión es expresiva y comunicativa, de esta forma puede no llegar a tener ninguna enfermedad, sino que cuando quiere algo lo pide, pero no así a las personas que les cuesta, o que nos ha costado, pedir algo aunque lo hayamos necesitado, de ahí las enfermedades, de ahí que estén los hospitales llenos de personas que enferman. Es conveniente que meditemos mucho sobre lo aquí expuesto.

¿Curaba Cristo Jesús con reiki?

A lo largo de los treinta y tres años de vida que Jesús permaneció en la tierra hizo muchos milagros y curaciones, algunas de ellas espectaculares. Sabemos que curaba por imposición de manos y que muchos de los humanos lo trataban como si fuera un diablo o brujo. Él siempre predicó diciendo que con fe todo era posible. En numerosas ocasiones nos dijo que el hombre era a imagen y semejanza de Dios, y que por tanto podríamos hacer, entre otras cosas, mover montañas por la fe y curar a los enfermos. Ya sabemos que una de las bienaventuranzas es visitar a los enfermos. Recuerdo, cuando vivía en Pamplona, que los domingos, de un centro al cual pertenecía, «Centro Mariano», acudíamos a visitar a los enfermos; allí les llevábamos caramelos, libros, etcétera. Íbamos con instrumentos musicales y les cantábamos canciones; en una ocasión, cuando realizaba mi labor de colchonero, fui a una casa a trabajar y la señora cuando me vio creyó reconocerme; efectivamente, había estado enferma y, en una de las ocasiones en la cual acudí al hospital, le habíamos cantado canciones, y me dijo que siguiera yendo a cantar a los enfermos, que les ayudaba muchísimo en su estado de soledad y dolor.

La Sagrada Biblia nos dice, en palabras de San Lucas, en el Nuevo Testamento, quien escribió el tercer evangelio de Cristo, lo siguiente en la curación de un paralítico (Mt 9, 1, 8 Mc 2, 1. 12): «Cuando estaba enseñando, ante los fariseos y doctores de la Ley, llegados de todas las aldeas, de Galilea, de Judea y de Jerusalén, trajeron a un hombre en una camilla y le impuso sus manos diciéndole: toma la camilla y anda». Si Jesús curaba imponiendo las manos, es muy posible que a sus discípulos y les enseñara a curar y que probablemente los iniciara en reiki, y Él a su vez fuera maestro de reiki, curación del epiléptico endemoniado (Mt 17, 14-20, Mc 9, 13-28).

Mis ciento veintiséis consejos para estar mejor física, psíquica y espiritualmente

- Visite a su médico al menos una vez al año para hacerse una revisión total de su cuerpo.
- Vigile su tensión arterial con frecuencia.
- Vigile su colesterol; si lo tiene alto, coma nueces y procura relajarse, con la tensión también el colesterol se acentúa.
- Si recibe una carta, tarde al menos tres minutos en abrirla; así si es positiva no le afectará demasiado y

si es negativa tampoco; da un resultado fabuloso, lo digo por experiencia.

— Camine al menos treinta minutos diarios.
— Haga una cena liviana y, a ser posible, ande al menos quince minutos después de cenar y antes de irse a dormir.
— Lea algo relajante antes de acostarse.
— Cuando esté alimentándose procure pensar positivamente y que sus conversaciones y las de los que estén con usted sean de lo más positivas y, sobre todo, mastique bien los alimentos.
— Si tiene mal el estómago, tómese una infusión de manzanilla.
— Tome muy poco café, sobre todo al irse a dormir.
— Tome azúcar morena en vez de blanca, la blanca lleva un proceso químico y es perjudicial para la salud.
— Beba diez vasos de agua al día, esto lo puede conseguir con buena voluntad.
— Beba agua una hora antes de las comidas y una hora después.
— Durante las comidas beba poca agua.
— Si tiene estreñimiento, procure beber mucho líquido, el agua le irá muy bien y lo siguiente: miel, espinacas, acelgas, fresas, zumo de naranja.
— Tome limón de cuando en cuando, la vitamina C es muy necesaria para el organismo.
— Si tiene afecciones de garganta, póngase un limón con miel al baño María, haga gárgaras con ello y se lo bebe, se le cortará en catorce horas; si la afección

es muy grande, puede ponerle a todo ello una aspirina, hacer gárgaras y, en esta ocasión, después de hacer gárgaras lo tira; en veinticuatro horas se habrá sanado.

— Coma abundantes ensaladas crudas (si te es posible, antes de la comida), verduras del tiempo, fruta del tiempo, pescado, carne en poca cantidad.
— Antes de consumir las verduras crudas, pimiento, lechuga, tomate, escarola, etc., es conveniente lavarlas poco antes de consumirlas; esto es, durante media hora con agua, donde antes hemos de diluir un poco de lejía —unas tres o cuatro gotas por cada litro de agua empleada—. Igualmente, es recomendable pelar o lavar la fruta antes de que la consumamos.
— Haga oraciones diarias, dando las gracias a Dios por todos los bienes recibidos.
— Agradezca a las personas las cosas que hagan por usted, cuesta muy poco y conseguirá resultados maravillosos.
— Escuche música clásica y gregoriana, aparte de la que tenga por costumbre escuchar.
— Al menos quince minutos diarios recójase, aíslese y medite las cosas que quiere conseguir en su vida.
— Hágase regalos de cuando en cuando a usted mismo.
— Si la vida no le da lo que le pide, estudie su comportamiento; quizá de niño le dijeron que la vida es difícil, que hay que sufrir para conseguir las cosas y ésas son las pautas que usted está marcando en su caminar.

— Comience el día cantando, aunque le digan que lo hace mal; verá cómo los que están a su alrededor también canturrean.
— Ríase a menudo, es tan saludable que se sorprenderá las cosas que puede conseguir con una sonrisa.
— Llore cuando lo necesite, ya sabe que es un sentimiento, y al expresar sus sentimientos se va liberando.
— Ya sabe, dentro de cien años todos calvos; así que no dé tanta importancia a las cosas.
— Valore a las personas por lo que hacen, no por lo que dicen; ya sabe que «del dicho al hecho va un gran trecho».
— Cultive su espíritu pintando, tocando algún instrumento, haciendo poesía, haciendo algo manual, artístico, etc.
— Tómese unas vacaciones cuando le sea posible, bien en la montaña, en el mar o en contacto con la naturaleza.
— Respire profundamente con los pulmones, inhalando el aire con fuerza y expulsándolo con la misma fuerza, al menos diez minutos diarios.
— Apunte en un cuaderno las cosas que quiere hacer durante la semana; esto lo puede hacer los domingos, ello le dará mucha fuerza y poder para llevar a cabo sus objetivos.
— Cuente chistes de cuando en cuando, de las cosas que le sucedan en la vida, y recuerde que todo lo que nos ocurre en esta vida es para crecer y desarrollar-

nos como personas; de cada triunfo puede sacar una conclusión y de cada fracaso también.

— Cuando sea verano y salga al campo a pasear o comer, procure beber agua mineral embotellada, o si emplea la del grifo, será bueno que la hierva durante quince minutos; es decir, a partir del primer hervor se puede contar el tiempo. Como cuando hervimos el agua cambia algo su sabor, puede taparla con una tapadera y tenerla de cuatro a cinco horas tapada antes de consumirla.
— Estudie la influencia y las características de los diez planetas del firmamento.
— Disfrute de las cuatro estaciones del año: la primavera, el verano, el otoño y el invierno.
— Viva el día de hoy como si fuera el último de su vida.
— Goce de la visita de un amigo, de un ser querido, de un obsequio que le hagan, etcétera.
— Acostúmbrese a estar sano, sentirse en armonía con la naturaleza, y a ser feliz.
— Pida las cosas cuando las necesite, se sorprenderá de las cosas que consigue.
— Si está deprimido, compórtese como si tuviera un entusiasmo fantástico; ocurrirán milagros.
— Viaje a otros países para ver y aprender su cultura, forma de vida, comportamiento humano, etcétera.
— Asista a exposiciones de pintura, conferencias, fiestas populares y a congresos.
— Vaya al cine, en ocasiones le puede ayudar el tema de la película para su desarrollo en la vida.

— Haga reuniones en su casa e invite a sus amistades, le devolverán la visita invitándole a la suya.
— Escuche cintas relacionadas con la relajación, los pensamientos positivos, las afirmaciones positivas, etcétera.
— Consulte cuando tenga un problema a la persona que más confianza le dé, le liberará mucho.
— Hágase un esquema de las cosas que le gustaría conseguir de esta vida.
— Visite a los enfermos de los hospitales y déles aliento y estímulos.
— Visite a los presos de las cárceles, también son seres humanos con problemas como usted y como yo.
— Antes de dormirse, déle las gracias al Creador por todas las experiencias del día.
— Hágase algún regalo de cuando en cuando, no espere a que se los hagan los demás.
— Cómprese flores y encienda velas, aunque esté comiendo o viviendo solo.
— Si tiene relaciones sexuales y amorosas con más de una persona, use el preservativo.
— Cuando esté haciendo el amor, exprese sus sentimientos libremente; si le apetece gritar de placer, grite, libérese.
— La masturbación consigue en ciertas ocasiones transformar algunos excesos de adrenalina producidos por el estrés, éste es un tipo de desahogo endorfínico. Ya sabe que la adrenalina es la hormona que incrementa la actividad.

— Si es hombre, no retenga la orina mucho tiempo, ya que le puede producir la próstata, enfermedad causada por retención de la orina; si acaso es mujer, no la retenga tampoco.
— Sea valiente para amar; en ciertas ocasiones nos centramos más en nuestro trabajo y éxito social que en crecer y vivir afectivamente.
— Viva las relaciones de amor como un crecimiento espiritual, que es lo que son.
— Respete a su pareja si la tiene y sea aperturista en las formas de hacer el amor.
— Alimente su cuerpo, mente y espíritu, con la necesidad que tenemos de amar y ser amados.
— Anímese cada mañana, para poder comenzar el día alegremente y con mucho entusiasmo.
— Disfrute de la Luna llena, a pesar de que se ponga más nervioso y quizá duerma peor.
— Conozca bien su cuerpo, para que pueda disfrutar cuando comparta el amor con su pareja.
— Sea valiente cuando la vida le sea fácil y consiga lo que busca, es señal de que se lo merece.
— Sea consecuente con lo que hace, lo que damos es lo que recibimos; por tanto, da amor, que eso es lo que recibirá.
— Si quiere a alguien dígaselo; si no es correspondido un día lo será otro, es seguro, bien por esa persona o por otra.
— Vigile su dentadura; si tiene alguna pieza careada, trátela con un estomatólogo, en ocasiones nuestra

dentadura nos puede traer otro tipo de enfermedades.

— Pregunte a sus familiares o amigos cómo es el olor de tu aliento; si es agradable atraerá a las personas, si por el contrario huele mal las ahuyentará.
— Cuando quiera algo, no espere a que la montaña vaya a usted, vaya a ella, como lo hiciera Mahoma.
— Reduzca el consumo de sal, ciertos alimentos ya tienen sal en su composición.
— No dé a los niños Coca-Cola, se acostumbrarán a ella y esto les puede producir insomnio y adicción a ella.
— Cuide el consumo de animales con exceso de grasa.
— Consuma pescados, por lo menos tres veces por semana.
— Si se considera una persona gruesa, beba un vaso de agua caliente en ayunas diariamente, le ayudará a evacuar y por consiguiente es muy posible adelgazar de esta manera.
— Si tiene una colitis, visite al médico y como primeros auxilios tome abundante agua, agua de limón, té, arroz blanco, y recuerde que al eliminar residuos estamos dejando las cavidades del organismo sin sales; por tanto, eche sal e incluso bicarbonato en pequeñas cantidades al líquido.
— Trabaje únicamente para vivir, no viva sólo para trabajar. Déjese tiempo para el ocio.
— A ser posible, coma a horas fijas, le ayudará a mejorar sus digestiones.

— Duerma y descanse como mínimo ocho horas diarias.
— Ventile bien su dormitorio, y si le es posible duerma con la ventana entreabierta para cambiar el aire de cuando en cuando.
— Haga ejercicios físicos, como natación, ciclismo, caminar, correr, etcétera.
— Si ha bebido mucho alcohol, no conduzca; en ese momento que lo haga alguien por usted, o si no tome un taxi.
— Si decide dejar de fumar, hágalo con valentía; puede comenzar diciendo lo siguiente: voy a estar una hora sin fumar, y así progresivamente puede conseguirlo. Yo fumé y conseguí dejarlo con voluntad, y usted también la tiene.
— No tome a los fumadores como enemigos; si fuma y lo mismo si no fuma, hay que estar a favor de... no en contra.
— Si fuma en una habitación airéala de cuando en cuando; como bien sabe, el tabaco contiene toxinas, alquitrán, nicotina, monóxido de carbono y óxido de nitrógeno.
— Cuidado con los excesos en la calefacción, la temperatura ideal suele estar alrededor de los 20 °C.
— Si friega las vajillas a mano, póngase guantes protectores para cuidar sus manos.
— No se autorrecete en ningún caso, es mejor que consulte a su doctor.
— En las personas mayores controle la hipertensión.

— Renueve su vida, cualquier momento es bueno para hacerlo, piense que la vida exige cambios constantes.
— Recuerde que es dueño de su propio destino, y en su interior existe un poder que puede curarle y sanarle.
— Pruébese a usted mismo para ver hasta dónde puede llegar, se quedará atónito viendo el hermoso caudal de conocimiento y sabiduría que hay en su interior.
— Piense que los miedos y en especial el odio a uno mismo son quienes realizan la labor perjudicial de estar enfermos.
— Para llevar un control de su hipertensión, lo mejor es que lleve una vida sana con una alimentación adecuada.
— Un buen régimen es el que se compone de poca sal, en cambio que esté rico en sus componentes vegetales y los lácteos fermentados, podríamos decir lactovegetariano.
— Recuerde que el Sol, el aire, el agua y el ejercicio físico son los estimulantes mejores para que nuestro organismo funcione bien.
— En la playa camine descalzo, se le fortalecerán los músculos y puede corregir defectos de los pies.
— Camine sobre la hierba húmeda, o sobre piedras también húmedas; esto es un ejercicio especial que mejora y estimula la circulación sanguínea, mejorando el tono vital.
— Báñese o dúchese intercambiando el agua caliente, finalizando con un buen chorro de agua fría;

puede evitar catarros, gripes y amigdalitis. Sobre todo es conveniente que a los niños les acostumbre a ello.

— Recuerde que nuestros pulmones tienen una superficie de algo más de cien metros cuadrados y que a diario toman contacto con un volumen aproximado de seis mil litros o más, por tanto respire siempre aire puro.
— Para crecer personalmente es necesario que exista el cambio, éste es el verdadero y eficaz desarrollo humano.
— Es mucho mejor llenar sus años de vida que su vida de años.
— Lávese las manos antes de cada comida.
— Le recuerdo que nuestro organismo necesita vitaminas y minerales en pequeñas cantidades.
— Haga de cada encuentro con una persona un nuevo amigo.
— Perdone sus pequeñas debilidades y ayude a las personas a que las suyas sean fáciles de solucionar.
— Alimente su espíritu con pensamientos positivos de paz, amor, perdón, armonía y otros.
— Siempre que le sea posible échese una siesta, aunque sólo sea de veinte minutos, le rejuvenecerá.
— Obsequie a todo el mundo con una gran sonrisa.
— Rece por sus amigos y también por sus enemigos.
— Disfrute de los cantos de los pájaros.
— Disfrute de un día lluvioso.
— Goce de un día de nieve.

— Lleve a cabo sus deseos; en vez de estar mucho tiempo pensando, dé el primer paso.
— Realice acciones que piensa que no puede llevar a cabo, verá cómo se sorprende.
— Márquese objetivos y sea consecuente con ellos.
— Recuerde que en muchas ocasiones cuando fracasa el éxito está muy próximo.
— Dialogue de cuando en cuando con sus familiares.
— Para conservarse sano, hable de la buena salud, de la armonía de la vida y de cosas positivas y sanas.
— Mantenga sus objetivos para usted mismo, únicamente compártalos con sus allegados.
— Hable en sus conversaciones del amor, le aparecerán buenos sentimientos sobre él.
— Recuerde que para poder conseguir el éxito en ocasiones únicamente necesitamos dar un paso más.
— Cuando hable con alguien que le haya criticado, póngale la mano derecha en el corazón, verá cómo salen de su boca palabras armoniosas y espirituales.
— Cuando vaya a orinar, lávese las manos antes.

Los diez elementos básicos para una buena salud

1. El aire.
2. El agua.
3. La alimentación.
4. El calor.
5. El ejercicio físico.
6. El descanso.

7. El frío.
8. El masaje.
9. La luz.
10. La tierra.

El aire, como ya sabemos, tiene anhídridro carbónico y es uno de los elementos que se necesitan para vivir; por esta razón hemos de intentar respirar bien y el mejor aire posible.

El agua es un elemento que nos ayuda a mejorar mucho el organismo, por un lado al mejor funcionamiento de los riñones y, como sabido es que tenemos un 75 por ciento de agua en nuestro cuerpo, es uno de los elementos extraordinarios para vivir.

La alimentación es la que mueve nuestro motor; por esta circunstancia el alimentarnos adecuadamente al tipo de trabajo o estudio que realicemos nos ayudará a llevar una vida más en armonía con el Cosmos.

El calor. Todo cuanto se mueve necesita una energía y el calor precisamente es un tipo de esa energía. Y se da el caso que el reiki es energía por medio del calor. Un escritor del siglo XVI, Huarte de San Juan, decía en aquella época que para que existiera creatividad era necesario el calor; en más de una ocasión curamos las enfermedades por medio del calor.

Con el ejercicio físico, al realizarlo correctamente estamos poniendo en movimiento nuestras células; hemos de recordar que los músculos que no ponemos en práctica se anquilosan, así que hay que animarse y llevar a cabo ejercicios físicos.

El descanso; así como es importante el ejercicio, lo mismo lo es el relajarse y descansar, para poder recuperar la energía que hemos perdido en un esfuerzo. Julio Iglesias dice que él para trabajar necesita mucho descanso. A veces conseguimos el descanso cambiando de actividad, pero no obstante lo ideal es descansar bien, una siesta por ejemplo a media tarde ayudará a poder estar más activo en la segunda jornada del día.

El frío también es muy necesario y los frigoríficos hacen que podamos mantener los alimentos más tiempo en buen estado; el frío también mata a ciertos insectos que, de no ser así, estaríamos plagados de ellos.

El masaje es una manera curativa que mejora el cuerpo y en ocasiones por medio de él podemos incluso prevenir futuras enfermedades. Con el masaje conseguimos por medio del calor y las manos que los músculos y nervios se relajen y estén más sueltos y por tanto más relajados, armoniosos, y que la persona se sienta más alegre. El reiki no es masaje, aunque en ocasiones, como decía la maestra Takata, una serie de masajes en ciertas partes del cuerpo, junto con la imposición de las manos, ayudaban mucho al paciente.

La luz es un elemento que nos da el Sol como astro del firmamento y que hemos de apreciar en toda su magnitud, ya que los rayos solares tienen poderes curativos también, siempre que no se abuse de ellos. Luego existe la luz incandescente inventada por el gran Tomás Alva Edison.

La Tierra, que es el planeta que más cerca está de nosotros, posee todo cuanto necesita un ser humano para vivir. Es notorio que con los muchos adelantos que creamos hoy en día, en ciertos lugares sirven para mejorar nuestro planeta y en otros para perjudicarlo; desde aquí llamo la atención para que tratemos con cariño a nuestro sistema solar, a la Tierra y a todo cuanto hay en ella.

Cómo superar algunas molestias o enfermedades en el organismo

Acidez en el estómago

Debido a los excesos, el alcohol, el tabaco, el café y las bebidas que contienen gases o cafeína nos pueden producir acidez de estómago; las personas sufren en ocasiones algunos trastornos en su estómago, ello es producto de la irritación de las paredes; esto da como resultado los síntomas de acidez, ardor, náuseas, dolor, excesos de gas, así como retortijones. El estrés, también algún medicamento que contenga antirreumáticos, o ácido acetilsalíceo y algunos otros.

Para poder prevenir la causa de estos problemas en los seres humanos que estén sanos, es algo excelentemente sencillo; para ello únicamente hay que intentar evitar las causa que provocan estos malestares en el organismo. La persona con una úlcera es muy posible que tenga todos estos síntomas; en este caso es necesario acudir al médico, para que nos haga un diagnóstico y seguir un tratamiento. Personalmente, como ya cité anteriormente, sufrí una úlcera de estómago, que por suerte y milagrosamente se me curó en poco más de un mes de tratamiento médico. Mi madre tiene mucha fe en San Francisco Javier, y según ella él me curó. En esta ocasión, vivía en Pamplona. Por este motivo hemos de tener en cuenta lo siguiente:

A) Tomar la comida templada, y nunca muy fría.
B) Masticar bien los alimentos.
C) Evitar los alimentos que por propia experiencia nos irriten el estómago.
D) Comer muy despacio.
E) Tomar la comida en menor cantidad de lo normal, y comer más a menudo si es necesario.
F) Tener el estómago ligero, o lo que es lo mismo no cargarlo mucho ni de comida ni de bebida.
G) Abstenerse de tomar alcohol, café, tabaco y bebidas que contengan cafeína o sean gaseosas.
H) En ocasiones, si tomamos antiácidos, claro está no por sistema, se puede conseguir un alivio; no obstante, podemos tener resultados colaterales que no son deseables.

Tomar el Sol

De todos es sabido que el Sol es necesario en nuestras vidas y que si lo tomamos con moderación se produce un fenómeno en nuestro organismo al tomarlo en contacto con nuestra piel que, debido a nuestra pigmentación, nos proporciona vitaminas. Pero cuidado, si tomamos el Sol en exceso y no tomamos las precauciones necesarias, especialmente en quienes tienen el cutis claro y la piel altamente sensible a la radiación solar, les puede aparecer por ejemplo un cáncer de piel. Por este motivo hemos de tomar precauciones para evitar la aparición de un eritema solar, que produce los rayos ultravioletas del Sol.

El fotoprotector solar es inmune frente a las radiaciones UV-A y UV-B, que como bien sabemos son las responsables de que se produzcan los procesos fototóxicos, así como fotoalérgicos. Al ser altamente hidratante, esto da pie a evitar la sequedad, envejecimiento y la fragilidad prematura de la piel.

En los niños hay que tener un cuidado especial y darles en su piel un fotoprotector como mínimo de 15. Además, que sea muy resistente al agua y ayudará al niño a que evite que el Sol le haga daño. También podremos poner una gorra, sombrero, pañuelo u otro objeto que le sirva de protección y poder evitar así una insolación, por ejemplo. El fotoprotector es muy recomendable aplicarlo al menos treinta minutos antes de ponerse a tomar el Sol.

Hemos de tener en cuenta que, con las modas actuales de estar morenos, en algunas ocasiones tomamos el Sol demasiado rápido y nos puede causar una serie de trastornos que dejarán secuelas para un futuro.

Como los hombres tenemos menos costumbre de darnos cremas, somos más propensos a adquirir un cáncer de piel que las mujeres, por ejemplo; por este motivo es recomendable el darse cremas de protección solar y a ser posible con factores de protección más altos. Si tenemos precaución con el Sol, tendremos menos probabilidades de adquirir enfermedades relacionadas con los rayos solares. Únicamente hay que ser precavido y ya está.

Quemaduras

1.º El primer paso a tomar es apartarse de la fuente que nos ha producido la quemadura.
2.º Se ha de enfriar la quemadura rápidamente, poniendo la zona o zonas afectadas debajo de un buen chorro de agua fría, al menos diez minutos.
3.º Podemos, de la misma manera, poner la zona afectada dentro de un recipiente que tenga agua fría; también se puede cubrir con alguna compresa que se ha de empapar en agua fría, esto hay que renovarlo en cortos períodos de tiempo.
4.º Todo lo expuesto lo entenderemos como primeros auxilios, pero posteriormente se ha de acudir urgentemente a una clínica, para que nos vea un especialista que nos cure y nos mantenga en observación.
5.º Cuidado con los remedios caseros, como pomadas, ungüentos, aceite, vinagre, pasta de dientes, mantequilla o productos químicos, si la quemadura ha sido con un producto químico por ejemplo.

Consejos útiles

Creo que una cosa muy importante es tener en casa un botiquín, ya que en más de una ocasión nos puede servir como primeros auxilios para poder tratar algún imprevisto que nos pueda ocurrir.

Un extintor también es un elemento que nos puede sacar de apuros en caso de un incendio que se produzca inesperadamente y de forma fortuita.

Tenga a mano los teléfonos de su médico, hospital, farmacia, urgencias, etcétera.

Experiencias en las consultas

Por respeto a mis clientes, siempre que hable de alguien lo haré con nombre inventado. Desde que sentí el reiki en mis manos pude comprobar los beneficios que aportaba, y en cada instante estaba dispuesto a poner las manos a quien lo necesitara; posteriormente cambié de actitud y únicamente lo hago cuando me lo solicitan. Bien, en este tema de la consulta intentaré explicar los cambios tan sustanciales que muchas personas han tenido en el trayecto de la sanación. Ha habido personas que han venido convencidas de que podía ayudarlas y ellas son las que más beneficio han sacado de las sesiones; otras, en cambio, venían con cierto miedo y algo de desconfianza, y al recibir la sesión comprobaban que mejoraban sustancialmente, por esto considero muy importante que el paciente confíe en el terapeuta para que surja el cambio positivo que sucede desde la primera sesión.

Desde hace mucho tiempo, han existido los que llamamos curanderos, que sin haber estudiado medicina han curado enfermedades que en ocasiones los médicos con una carrera no lo han conseguido; por esta razón y otras es bueno que recordemos que los curanderos, al menos los que yo conozco, no son capaces de curarse a sí mismos y sin embargo los iniciados en reiki tenemos la suerte de que somos sanadores y autosanadores. Con mis respetos a los curanderos, que desde tiempos inmemorables desempeñan una bonita labor en bien de los seres humanos. Bien, volviendo a los pacientes: paciente X con un tema muy delicado, con dos intentos de suicidio, el psiquiatra, le dice que no puede hacer nada por ella. Se informa por medio de una paciente que yo hago sanaciones por imposición de manos y viene a verme con sus padres; esta persona es del signo Escorpio, acude con tristeza en sus ojos. En el primer contacto intento que se abra y me cuente cómo se siente y qué quiere sanar; la tumbo en la camilla y comienza a llorar; intento consolarla y decirle que si no la quieren los demás yo la quiero y que me cuente por qué llora; apenas habla y sigue con el llanto, le doy unos masajes al lado del timo antes de iniciar la sanación, le hablo diciéndole que ella es muy guapa y que es conveniente que se quiera más, para que los demás la quieran; me dice que tuvo un amor y que pasa de ella y que no quiere verle; sigue hablando y me dice que le preocupan las matemáticas y que, si no aprueba, se suicidará; le animo a que estudie bien concentrada y que los resultados serán positivos. Inicio la primera sesión y al salir de ella le ha cambiado la expresión del rostro; a la salida de la habitación sus padres se quedan sorprendidos del cambio que ha experimentado. Su padre, Capricornio, me dice que confía mucho en mí y que está convencido de que puedo ayudarla mucho; como la hija apenas habla, se queda escuchando, cosa típica por otra parte en los del signo de Escorpio. Regresa al día siguiente a la consulta y le pregunto si ha soñado mucho, me dice que sí pero que no se acuerda; le hago el alisamiento del aura y comienzo la sesión, le digo que si quiere hablar que hable pero que no se mueva durante la sesión de sanación; poco a poco consigo que se relaje cada vez más, me va explicando con pocas palabras después de la sesión que se considera gorda y que quiere adelgazar, por cierto esta persona era anoréxica.

Tercera sesión: de nuevo vuelve con sus padres y, mientras ella se tumba en la camilla, sus padres me dicen que ayer se pasó el día llorando y que no quería hablar con nadie; les comunico que cuando tengamos sus chakras abiertos, su actitud cambiará poco a poco y conseguiremos que se entusiasme por la vida.

En esta sesión, antes de comenzarla, le voy explicando lo necesario que es que ella se quiera y que piense que tiene cualidades para aprobar las matemáticas y que es seguro que un día le saldrá un novio. En esta tercera sesión consigo que después de finalizar se tome un vaso de agua. Nos despedimos hasta el día siguiente.

A esta persona creo recordar que le di nueve sesiones de reiki; llegó el verano y con él las vacaciones y después del verano su madre me llamó para comunicarme que había aprobado las matemáticas, y que sus padres le decían que me llamara para comunicármelo, pero que ella no se atrevía a hacerlo. El pasado año le llamé para ver cómo se encontraba y de nuevo sus padres me dijeron que le decían que me llamara y que viniera a recibir sanación. Bien, en todo este contacto le prometí que si tenía ilusión por la vida me comprometía a componerle una obra para un instrumento que ella escogiera, que por cierto escogió el piano, y ahora la obra está terminada.

Me llamó un día y vino con una amiga; le puse la obra que le estaba componiendo y le gustó mucho; la he visto con más ilusión de vivir y con más decisión para las cosas; por supuesto que le di mis felicitaciones por haber aprobado el examen de matemáticas que tanto miedo tenía realizar; vino con una amiga casi tan guapa como ella, le hice una sanación a petición suya, y me dijo que estaba mucho mejor y que estaba realizando diferentes trabajos, que tenía novio y se encontraba muy contenta. Precisamente en estos momentos ha sonado el teléfono y era ella, la voz expresaba que se encontraba muchísimo mejor; mañana iba a trabajar en un establecimiento de bocadillos. La verdad es que por la voz se notaba que las cosas le iban saliendo bien y que se encontraba más realizada, lo cual me ha causado mucha alegría al saber que las manos hacen tanto bien a las personas sobre todo si ellas quieren mejorar y curarse.

La energía del Cosmos hace milagros en los seres humanos y en este caso de extrema gravedad ha dado resultado, la persona sigue delgada como quería estar, con 46 kilos, pero eso sí sus chakras se encuentran llenos de vitalidad y aperturismo, cosa ésta maravillosa para vivir la vida en toda su plenitud, que para eso hemos nacido, para desarrollar todas nuestras cualidades.

Noticias importantes para nuestra salud

Según una encuesta llevada a cabo en Estados Unidos, de las ciento veinticinco escuelas de medicina allí existentes, en noventa y dos de ellas se dan clases y cursos de terapias, las llamadas «no tradicionales». Siguiendo con este comunicado, dice que uno de cada tres estadounidenses se decide por la medicina alternativa.

Cada vez son más las personas que se acercan a las medicinas alternativas; en el caso antes citado nos referíamos a Estados Unidos, pero lo mismo está sucediendo en Europa, muchísimas personas acuden a las llamadas medicinas alternativas para encontrar un alivio a sus muchos dolores. Esto es un motivo por el cual cada vez se cree más en la medicina naturista. Los que se dedican a la medicina tradicional nos hacen ver que antes morían más personas porque no estaba descubierta por ejemplo la penicilina, ni se tomaban antibióticos, pero lo cierto que los antibióticos, si se toman, hay que tomar aparte unas vitaminas, como por ejemplo *Redoxon Vitamina C,* para contrarrestar el efecto que causa en el cuerpo estos antibióticos; esto un médico no te lo dice, sin embargo mi amigo el doctor Javier de Francisco, naturópata, te lo hace reseñar y por propia experiencia he de decir que me han sentado magníficamente bien esas vitaminas mientras estaba tomando los citados antibióticos. Hemos de tener en cuenta que cuando una cosa nos beneficia para una parte del cuerpo, es muy posible que nos haga daño en otra. Hemos de ser cautos e inteligentes en la medicina tradicional, pues los médicos, al menos algunos, lo que hacen es recetar y recetar, y existen muchas personas gruesas por haberse atiborrado de pastillas, que han cogido treinta kilos o más de peso, debido al exceso de pastillas recetadas por el médico. Con mi respeto más reconocido hacia los médicos, doctores y especialistas, y sobre todo a todos los que están investigando en la lucha contra el sida, el cáncer y otras enfermedades graves.

¿Cómo será el futuro del reiki?

El reiki tiene el futuro asegurado, ya que existen cerca de ochocientos mil practicantes de reiki, unos con el primer nivel y otros con el primero y segundo nivel. Me gustaría hacer una llamada a enfermeras y enfermeros para que se iniciaran en el reiki, así como a los médicos. Quiero desde este libro lanzar un mensaje de entusiasmo para que estemos más en contacto y podamos ayudar a médicos, enfermeras y ATS. De igual manera, personas que se dediquen a ayudar a la humanidad para que, entre todos ellos y quienes nos dedicamos en cuerpo y alma a la sanación y autosanación, vayamos consiguiendo con el conocimiento, la práctica y las experiencias, junto con el entusiasmo, un mundo cada día más sano, alegre, dinámico, optimista y entusiasta. Si con buena voluntad nos acercamos, por un lado la medicina tradicional y la energía del Universo a través del reiki, caminaremos hacia unos seres humanos del siglo XXI llenos de una excelente salud mental, física y espiritual. Por esto lanzo un mensaje de amistad para todos los seres vivos, sean de la raza que sean. Para quienes quieran estar mejor de salud, que se acerquen al reiki con confianza, ya que día a día vamos siendo más los que nos acercamos a él. Hago oración para que esto ocurra, personalmente me brindo a contribuir a crear una sociedad mucho más sana, por consiguiente más feliz, dinámica y creativa. ¡Quien tenga oídos que oiga!

Lugares de crecimiento y desarrollo espiritual

1. Cuevas de Zugarramurdi, Navarra

Zugarramurdi se encuentra situado a ochenta y tres kilómetros de Pamplona, al norte lindando con Francia, en la montaña meridional, justo en la cubeta Sara-Ainhoa. Además de las cuevas con restos arqueológicos, sus casas son blasonadas. Están compuestas por un excelente túnel y atravesado por un arroyo y dos galerías elevadas.

Es un lugar magnífico para el espíritu, se encuentra en la carretera Nacional 121, se puede ir por Elizondo. Estas cuevas tienen mucha historia, su magia radica en la fuerza y energía que se recibe una vez que uno ha penetrado en el interior de sus bóvedas, un lugar mágico para visitar.

2. Titulcia, la Cueva de la Luna

Situada al sur de Madrid, a cuarenta kilómetros de la capital española, en la villa de Titulcia.

Se puede ir por la autopista de Andalucía y desviarse a dos kilómetros de Valdemoro.

Allí puede sentir las energías telúricas que existen. Se llevará un gran recuerdo si acude a este lugar mágico, además seguro que allí le suceden cosas inverosímiles que le sorprenderán por su originalidad.

3. Cabo Cope

Magnífico monte con la imagen de un dragón dormido, situado al este de Águilas, Murcia, por la carretera que se dirige a Cartagena, justo a siete kilómetros de Águilas, con vistas al mar, debajo de Cabo Cope. Se practica buceo, fotografía submarina. Allí parece ser que existe un campo magnético donde las brújulas se vuelven locas, sin saber el rumbo en el que se encuentran. Excelente lugar de crecimiento y desarrollo espiritual, lo conozco, y tuve visiones alucinantes, sobre todo espirituales y amorosas.

4. El mirador «Les Pujades»

Situado en Castellterçoli, a mil metros de altitud en naturaleza libre y con pleno campo, situado a seis kilómetros de Castellterçoli y a cuarenta y cinco kilómetros de Barcelona. Con vistas a los Pirineos nevados, Mola, Montseny, Tibidabo, el mar...

Dirigido por el profesional Jaume Guasch, director de la Fundación Jaume Guasch.

Con la magia de un lugar espacioso en naturaleza libre, cuenta con ochenta hectáreas de jardines, bosques, piscinas, baños calientes, solarium... Comida natural y seleccionada. Habitaciones dobles. Casa de abolengo con vestigios del siglo IX y con veinte años de actividad.

Por propia experiencia he de decir que es un sensacional lugar de crecimiento, de encuentro con uno mismo, donde la naturaleza nos eleva a estados antes insospechados. Además cuenta con un grupo de profesionales excelentes para vivir la vida llena y plena de amor.

Información:

Ferrer de Blanes, 5, Bajo. Teléfs.: (+ 34) 93-21 70 33 - (+ 34) 866 84 30. 08012 Barcelona.

5. El Camino de Santiago

Si quiere tener una experiencia sublime, le recomiendo que realice el Camino de Santiago en peregrinación. Se puede llevar a cabo el cualquier estación del año; es recomendable hacerlo en el mes de julio, para que pueda coincidir con la festividad del Apóstol el día 25 de julio, que si cae en domingo, día del Señor, coincide con el privilegio de ser Año Santo Compostelano.

Compostela se ha convertido, junto con Jerusalén y Roma, en uno de los tres centros de peregrinación de todos los pueblos cristianos.

En el año 1986, Año Santo Compostelano, realicé el Camino de Santiago desde Roncesvalles, Navarra, comenzando el día 3 de julio. Llevaba tres objetivos:

a) Pedir por la paz del mundo.
b) Escribir una composición sobre mis experiencias.
c) Hacer un trabajo periodístico, basado en mis sentimientos.

La composición la finalicé. Un tríptico para órgano de iglesia, denominado *Tríptico Jacobeo*. Hice un poema sobre el Camino de Santiago que se publicó en *Estafeta Literaria*. Lo que más me impresionó de esta experiencia fue lo siguiente:

a) Que nuestros pies son capaces, con la fuerza del espíritu, de llevar a cabo en veinte días ochocientos kilómetros que separan Roncesvalles de Santiago de Compostela.
b) Que había matrimonios que salían desde Francia y llevaban caminando más de tres meses.
c) Que la naturaleza te acerca más a los seres humanos y que caminar es uno de los mejores deportes que existen hoy en día.
d) Lo importante que es crearse objetivos. Desde que realicé una peregrinación a San Francisco Javier, al castillo y por antonomasia a Javier, me planteé la idea de llevar a cabo esta proeza, cosa que conseguí, aunque me salían ampollas y desde Sahagún, situado a la mitad del camino, se me hincharan los pies y por la noche tuviera que dormir con los pies en alto.

6. Peregrinación a San Francisco Javier

Desde tiempos remotos se viene peregrinando por Navarra hasta el castillo de San Francisco Javier, lugar donde naciera el santo el 7 de abril de 1506, el cual murió en la India Oriental, donde se encontraba evangelizando a las personas: en un solo día bautizó a más de quince mil personas.

Bien, esta peregrinación se lleva a cabo durante el fin de semana del mes de marzo de cada año. Recuerdo que uno de los años que acudí en peregrinación, desde Roma el Papa nos envió unas palabras de bendición, con motivo de que habían llevado el brazo de San Francisco Javier, que se encontraba en Roma, creo recordar.

Es excelente ver cómo desde diferentes puntos de Navarra se acude a pedir favores al santo o darle las gracias por los favores ya recibidos. Los jóvenes de entre siete y ochenta y cinco años llevan a cabo la peregrinación, que es más corta que la del Camino de Santiago, ya que Javier está situado a cuarenta y cinco kilómetros de Pamplona. Cada vez hay más devoción a este santo que vivió para ayudar a los demás y fue pionero en la evangelización de los fieles, como buen Aries que era; por eso fue el pionero.

7. Un lugar maravilloso lleno de misterio: Jerusalén

Jerusalén, la tierra donde nació Cristo hace ya más de dos mil años, es un lugar excelente para visitar.

Me acuerdo que en el año 1981, pasé una semana en esta hermosa ciudad realizando el vía crucis con mi guitarra al hombro pasó algo mágico: me hicieron unas fotografías y aparezco con un halo de misterio, con una ropa superpuesta y unas imágenes dignas de ver. La tumba de Lázaro me impresionó mucho, la maqueta de la Jerusalén antigua. Y como broche, el lugar donde nació el Niño Jesús me abrió el corazón, recordando imágenes que nunca antes había vivido. Al saber que allí había nacido el Redentor, que habían sucedido tantos acontecimientos importantes, se me ponía la carne de gallina. Aconsejo que si pueden acudan a este lugar tan mágico en la Tierra.

8. El mar Muerto

Éste es uno de los sitios que también impresionan mucho; el saber que se está en el punto más bajo de la Tierra también causa un impacto muy especial que merece la pena vivir. A mí me estaba impresionando desde que salimos de Amman, Jordania, con un primo mío entonces capitán médico, pediatra, quien me recomendó visitar el lugar que siempre permanecerá en mi recuerdo como algo alucinante y espiritual.

Si eres adicto al tabaco

Según un estudio realizado recientemente en Ginebra, la adición al tabaco, es decir quienes son fumadores activos, son propensos a más enfermedades que quienes no lo son. Según este estudio, cada diez segundos muere una persona fumadora; asimismo se ha comprobado que existen mil cien millones de fumadores en todo el planeta Tierra, y que una tercera parte de la población mundial que fuma es mayor de quince años. Son noticias de la Organización Mundial de la Salud (OMS).

Por propia experiencia sé lo que es fumar y personalmente, cuando fumaba, tenía dolores de estómago, tos, y si bebía alcohol a la vez que fumaba, me producía gases, malas digestiones, etc. Yo estoy a favor de..., no en contra. Pero quisiera animar a quienes están dispuestos a dejar el tabaco, que piensen que tienen suficiente voluntad como para abstenerse de él.

Hay algunas recomendaciones que pueden servirle, como beberse de diez a doce vasos de agua, hacerse el propósito de estar por ejemplo una hora sin fumar, y así progresivamente puede conseguir dejarlo para siempre. En ocasiones masticar chicle, el escribirse frases positivas diciendo que tiene voluntad para conseguir estar sin fumar, etcétera. ¡Ánimo, merece la pena que lo intente, ya que la persona más beneficiada será usted mismo! Esto le puede dar voluntad como para poder conseguir otras cosas que creía que no podía conseguir. En el interior de cada ser humano, existe un poder y una voluntad que, si somos capaces de sacarla a flote, los primeros sorprendidos seremos nosotros. He conocido a muchas personas que han fumado hasta cuatro paquetes de tabaco, y con buena voluntad y decisión han conseguido dejar la costumbre para toda la vida.

Si eres adicto al alcohol

Desde que el mundo existe, el hombre ha estado estimulándose con algún tipo de sustancias, unas veces con el tabaco, otras con las drogas y en ocasiones con el alcohol. Bien es verdad que un vasito de vino durante las comidas puede ayudar y de hecho ayuda a evitar en algunos casos el ataque al corazón. Por ejemplo, a las personas de cierta edad le puede venir muy bien el beber un vaso de vino en las comidas.

Ahora quiero expresar mis sentimientos con respecto a las bebidas alcohólicas; en primer lugar he de decir que soy bebedor de vino cuando como, que me gusta el champán, el güisqui en algunos momentos y, por ser navarro, el pacharán.

¡Cuidado con el alcohol!, se ha demostrado que cuando uno está bebido, o bebe más de la cuenta, puede dar lugar a ser más violento; que sube la tensión; que los conductores cuando beben más de sus posibilidades son propensos a ir a más velocidad de lo permitido. Que en los matrimonios o parejas, si hay algún miembro alcohólico, toda la familia va de cabeza.

La solución: está en usted mismo, en saber que tiene voluntad para dejar el vicio —como se le llama— cuando quiera. Que está bien que tome un traguito si así lo desea, que es dueño de sus actos. Pero, por favor, si bebe con moderación, y si alguna vez se pasa, beba grandes cantidades de agua, descanse bastante, duerma más y a la mañana siguiente coma algo dulce y en cantidad.

Mi último consejo: sea moderado con las bebidas sean del tipo que sean, y si los demás beben, usted emplee su voluntad, es mejor estar a favor del poco a nada de alcohol, cuidado con estar en contra de… Sea feliz, se lo merece.

Compartir algo de nosotros mismos

Quisiera explicar la importancia que tiene el que compartamos algo de nosotros. Al compartir, estamos dando vida a nuestra vida, es decir, nada de lo que aquí en la Tierra esté presente, nos vamos a llevar cuando desaparezcamos de este mundo. Por esta causa, si somos capaces de compartir, por ejemplo, el amor, si el amor que llevamos implícito con nosotros mismos, el amor que es lo que puede mover una montaña, lo que puede hacer que una persona se sane con mucha más rapidez, usted y yo hemos nacido precisamente de un acto amoroso, hemos venido a este mundo por la gracia de Dios y el amor de nuestros padres. El reiki en sí mismo, en su estructura fundamental, es amor; es amor porque la energía que desprende se hace con amor, con mucho amor.

Creo que es muy interesante que hagamos meditación sobre este punto. Al compartir estamos ayudando a que los demás desarrollen sus cualidades, les estimule nuestro conocimiento sobre el amor, sobre la vida, las relaciones humanas, el misterio de la vida, etcétera.

Realmente se cumple el refrán de que al ayudar a los demás a subir a la cima, nosotros estamos más cerca de la cima. Por esta razón y este planteamiento, cuando estamos compartiendo con otro ser humano nuestra energía a través de nuestras manos, de alguna manera compartimos esa energía universal con nuestro conocimiento. Al escribir este libro, estoy compartiendo mi conocimiento, pensando y creyendo que usted va a querer compartir conmigo todo cuanto he aprendido por medio de la sanación y autosanación; asimismo para que yo pueda compartir el conocimiento usted ha tenido que acercarse hasta el libro para de esta manera compartir. Bien es verdad que en ocasiones el compartir cuesta dinero, pero lo mismo que a mí me ha costado dinero aprender las técnicas, invertir tiempo y otros menesteres, a usted le sirve con el dinero que le ha tocado abonar para poder tener el libro en sus manos.

El reiki es un sistema de sanación maravilloso para poder compartir; por un lado está el paciente y por otro el terapeuta, o reikista. Si en una consulta, por ejemplo, estamos haciendo una sanación, de alguna manera estamos compartiendo un dinero «X»: por una parte el cliente que aporta y comparte su dinero y por otra el iniciado en reiki que comparte el conocimiento, tiempo y energía para hacer la sanación.

Mi mensaje, por tanto, es el siguiente: comparta el amor, comparta su tiempo, comparta su conocimiento, comparta una sonrisa, de la misma manera que se comparte la tarta el día del bautizo de un bebé, de la primera comunión, el cumpleaños de alguien, la tarta del día de la boda; considero necesario, humano, y si quieren, por egoísmo suyo, comparta, comparta y comparta, pues lo que comparta es lo que ha de recibir; por tanto, ánimo y a compartir.

Un toque de atención sobre la ablación

Recientemente el Tribunal Administrativo de El Cairo autorizó la ablación del clítoris en los hospitales públicos. El 97 por ciento de todas las mujeres egipcias han padecido la ablación del clítoris. Los grupos de los derechos humanos creen que cada día son seis mil niñas las que se somenten a esta intervención.

Lo que más me impacta es que el anterior Papa Juan Pablo II, no se haya expresado al respecto. Por un lado, las niñas que mueren al realizarles esta aberración y, por otro, el dolor que esto les acarrea. La Iglesia, que tanto manda y quiere mandar en nosotros, creo que es hora de que se interese por este asunto. ¿Qué derecho tiene un ser humano para quitar el placer a una niña cuando vaya a ser mujer? En ocasiones, los seres humanos estamos tan acostumbrados al dolor que nos han pasado nuestros ancestros, que queremos que los demás, en este caso las mujeres egipcias, sufran en ver de gozar. «En el siglo XXI, existen ciento veinte millones de mujeres mutiladas» y ellas tienen derecho de disfrutar de su propio cuerpo, que para eso les ha puesto Dios el clítoris y otros miembros de su cuerpo. ¿Por qué no se cortan los testículos quienes dan las órdenes para llevar a cabo la ablación?

Pon tus manos abiertas dirigidas hacia el Sol

Excelente experiencia para cargarse de energía por la mañana. Haga lo siguiente: situado de cara al Sol, abra los brazos y, con las manos mirando al astro rey, cierre los ojos y reciba la energía del Cosmos. Observará que el día que lo haga su optimismo es más grande, aumentará su energía y, por ende, será una persona con mucho magnetismo personal. En ocasiones estamos en esta vida y disfrutamos poco o nada de la naturaleza; hay que pensar que la naturaleza es muy extensa, y que las plantas, los árboles, las flores y otras cosas como el agua, el aire, la tierra, etcétera, están aquí para disfrutar de ellas. Los que vivimos en las grandes ciudades en ciertas ocasiones pasamos por alto la importancia que tiene el que miremos al cielo, el recibir el influjo de Sol, de la Luna y de los demás planetas.

Esta experiencia de poner mis manos en dirección al Sol se me ocurrió en Pías, aldea cercana a Mondariz (Galicia), estando de vacaciones en casa de mi gran amigo y pintor Andrés Sandoval Rodríguez, oriundo de Pías, aunque vive habitualmente en Cartagena (Murcia). Él se reía cuando me veía cada mañana al levantarme ponerme frente al Sol haciendo oración, exactamente dibujando los símbolos del reiki. Puedo afirmar que durante el día todas las personas recibían mi energía positiva magníficamente. Prueba de ello es que me pasé las vacaciones más divinas de mi vida. Mi recomendación es que se haga cada día este sencillo ejercicio y sobre todo llevarlo a cabo también en la ciudad. El beneficio será extraordinario. Hemos de acostumbrarnos a gozar de todo cuanto nos ha legado el Creador. Se da la circunstancia de que al llegar a Madrid he recordado esta práctica y la estoy llevando a cabo de nuevo y me siento más optimista. El tiempo que hay que permanecer con los brazos abiertos y las manos hacia el Sol es de tres a cinco minutos únicamente. Verá cómo cada día que pasa se encuentra mejor en todos los sentidos, y recuerde que esto no lleva gastos de ninguna clase, ni tan siquiera el IVA.

El simbolismo del cielo

Quienes vivimos en las grandes ciudades en más de una ocasión pasamos enormes cantidades de tiempo sin asomar nuestra vista al firmamento, al cielo. Voy contar la experiencia que he vivido recientemente en una aldea gallega de la provincia de Pontevedra, concretamente en Pías. Esta aldea, con muy pocos vecinos, tiene la suerte de tener un río al lado, y por descontado que los árboles, pinos y otra serie de plantas están allí presentes para deleite de los que viven y quienes visitan este magnífico paraje. Bien, el caso es que uno de los días que se me ocurrió mirar al cielo quedé anonadado por la cantidad de estrellas, constelaciones, por ejemplo la Osa Mayor, Casiopea, el Cisne, el León, Orión, Sagitario, Virgo. Durante el día, sobre todo en nuestro país, España, tenemos la suerte de tener grandes cantidades de energía del astro rey, el Sol; quizá por este motivo a los que habitamos en ciudades no se nos ocurre lanzar nuestra mirada al cielo para poder gozar y disfrutar de la fuerza y el poder del firmamento. Ahora viene mi alucinación; al mirar al cielo quedé prendado de la cantidad de elementos que me he perdido por no mirar al cielo en otras ocasiones; como en este lugar el cielo está claro, armonioso y lleno de luz nocturna, sobre todo cuando la Luna se encuentra llena, brillante, es algo mágico, valioso para nuestro espíritu, para nuestra sanación.

Querido amigo lector, le recomiendo que mire más veces al cielo que lo hace habitualmente; en más de una ocasión nos quejamos de que estamos aburridos, de que la vida es monótona. Ahora es el momento para que deje todo lo que está haciendo y observe con sus ojos la grandeza del Universo; esto es gratis, esto es necesario que lo hagamos todos los días, mejor dicho cada noche, como el amor. Para las personas que estén deprimidas, que no encuentren una solución a sus problemas, que es seguro que las hay, ésta puede ser una terapia magnífica, una manera de vivir la vida con entusiasmo. La salud es algo que cada día vamos labrando con nuestros pensamientos positivos o negativos; si empleamos esta terapia es seguro que nuestra salud mejorará día a día. Observe los cráteres de la Luna, sobre todo si dispone de un anteojo o catalejo, como lo hiciera Galileo Galilei, en el año 1609. De paso le diré que, si piensa realizar alguna cosa importante para usted, lo haga cuando el satélite llamado Luna se encuentre en su fase de Luna nueva; todo cuanto haga en esos momentos crecerá con más rapidez. Es muy fácil ser más feliz si disfrutamos de la naturaleza de este mundo, de todo cuanto el Creador ha puesto a nuestro alcance. Si tiene la suerte de vivir en una aldea, o pueblo, donde pueda divisar el firmamento, como la citada anteriormente, o por el contrario vive en una gran ciudad, le animo a que salga al menos una o dos veces por semana a disfrutar de la riqueza del cielo, de toda su magnificencia y gratitud.

La magia de la risa

Cuenta la historia que en una ocasión fueron dos ladrones a robar a una casa y se encontraron con un niño que estaba sonriendo; los ladrones, al ver al niño sonreír, se sintieron avergonzados y se marcharon, sin poder llevar a cabo su intento de robo. Para el ser humano, la sonrisa es tan importante como el comer y el alimentarse. Si supiéramos que cuando sonreímos estamos relajando nuestros músculos, estamos llevando nuestro espíritu hacia la felicidad; sólo cuando aprendamos a sonreír cada día con entusiasmo, con decisión y valentía, en ese instante habremos dado un paso tan importante y positivo que de alguna manera quitaremos tensión, desaparecerán las preocupaciones y viviremos más alegres, dinámicos y contentos. Anímese, querido lector o lectora, y sonría siempre que le sea posible, ya que el sonreír no paga impuestos, ni tan siquiera se gasta energía con ello. Así que adelante y viva su vida con una sonrisa en los labios, verá cómo su vida mejora enormemente.

Cursos recomendables para el crecimiento humano y espiritual

— Oratoria Efectiva y Relaciones Humanas. Dale Carnegie.
— Curso de Humanidades Contemporáneas.
— Cursos de Astrología.
— Cursos de Reiki.
— Cursos de Control Mental. José Silva.
— Cursos de Pensamiento Positivo y Afirmaciones Positivas. Louise L. Hay.
— Cursos de Reflexología Podal.
— Cursos de Yoga.
— Cursos de Amor.
— Cursos de Música: canto, guitarra, piano, solfeo, etc.

Bibliografía

ARGOROMENDIA: *La salud por la fruta*. Gasso Hermanos, 1973.

BLAY, A.: *La personalidad creadora*. Elicien, 1967.

BRENNAN, B. A.: *Manos que curan*. Ediciones Martínez Roca, S. A., 1987.

— *Manos que curan*. Ediciones Martínez Roca, S. A. 1990.

CHOPRA, D.: *Las siete leyes espirituales del éxito*. 1997.

DAVIS, P. K.: *El poder del tacto*. Paidos, 1991.

FERRÁNDIZ, V. L.,: *Los peligros de la alimentación inadecuada*. Ediciones Cedel.

H. NETTER, F.: *Atlas de Anatomía Humana*. M. D. Masson, S. A. 1996.

FUNDACIÓN PARA LA PAZ INTERIOR: *Un Curso de Milagros*. P.O. Box 1104 Glen Ellen, CA 95442, Estados Unidos.

GERALD, G., JAMPOLSKY, D., CIRINZONE, V.: *Amar es la respuesta*. Paidos, 1993.

GERALD, G., JAMPOLSKY, D.: *Amar es despojarse del temor.* Librería del Congreso, Catálogo de Datos de Publicación, 1979.

GOLDMAN, S. y GOLDMAN, B.: *El método Silva de Control Mental: dinámicas mentales*. Edaf, 1991.

GRINBERG, A.: *Reflexología, diagnóstico y curación por el pie*. Ediciones Martínez Roca, S. A. 1995.

HAY, L. L.: *Usted puede sanar su vida*. Urano, 1989.
HORAN, P.: *Reiki, curación y autocuración por la energía universal*. Editorial Ibis, 1993.
KLINGER-RAATZ, S. U.: *Reiki con piedras preciosas*. Elfos, 1994.
La Sagrada Biblia.
LAWSON, J.: *La maravillosa energía del universo*. Ediciones Obelisco, 1995.
LEWIS, D.: *El lenguaje secreto del éxito*. Martínez Roca, 1994.
LÜBECK, W.: *Reiki, la farmacia en casa*. Sirio, 1996.
— *Reiki, guía práctica para el sendero del amor curativo*.
— *Reiki, el camino del corazón*. Sirio, 1994.
MÜLLER, B. y GÜNTER, H. H.: *Reiki, cómo curar con la energía cósmica*. Ediciones Obelisco, 1993.
PASSIDOMO TRAFFORD, LA: *Autocuración*. Robin Book, 1994.
PAUL, G.: *La timidez vencida*. Jagot, 1993.
PEALE, N. V.: *El optimista tenaz*. Grijalbo, 1964.
RAJNEESH, D.: *Del sexo a la superconsciencia*. Editorial Gulaab.
RAND, W. L.: *Reiki, el toque curativo*. 1994.
REIZ, M.: *Lo que tu cuerpo quiere decir*. Ediciones Obelisco, 1984.
ROBERTO, K. y ABARCA, O.: *Reiki, manual teórico práctico ilustrado*. Ediciones Porteñas, Buenos Aires, 1995.
SCHWARTZ, D. J.: *La magia de pensar en grande*. Iberonet, 1993.
SHINYASHIKI, R. y BITTENCOUR DUNET, E.: *Amar puede dar resultado*. Ediciones Obelisco, 1995.

SIEGEL, B. S.: *Paz amor y autocuración*. Urano, 1990.
STEIN, D.: *Reiki, esencial*. Robinn Book, 1995.
SWETT MARDEN, O.: *Ayúdate a ti mismo*. Editorial Humanitas, S. L. 1995.
TAROZZI, G. (Ed.): *Reiki, energía y curación*. 1993.

Algunas direcciones de utilidad

* **Para la A.I.R.A.:**
  American International Reiki Association Inc.
  P.O. Box 86038-St Petersburg, FL 33738, EE. UU.

* **Para la Alianza:**
  The Reiki Alliance - P.O. Box 5327
  Eugene, OR 97505, EE. UU.

* **Centro de Reiki «Ling Chi»:**
  Teodoro García 1779 PB «C»
  Teléf.: (01) 722-8639 1426
  Buenos Aires, Argentina.

* **Asociación Argentina de Reiki:**
  Franklin 1769 2do. «B» 1406
  Buenos Aires, Argentina.

* **Profesor Mércury:**
  Director del Centro de Reiki, Amor y Sanación Universal
  C/ Alonso Cano, 30, 3.º D. 28003 Madrid (España)
  Web: www.profesormercury.com
  E-mail: profesormercury@profesormercury.com

Índice